L'ART DE VIVRE
EN SANTÉ

Blanche-Neige

L'ART
DE VIVRE
EN SANTÉ

Les Éditions
LOGIQUES

LOGIQUES est une maison d'édition agréée et reconnue par les organismes d'État responsables de la culture et des communications.

Nous remercions le Conseil des Arts du Canada, le ministère du Patrimoine canadien et la Société de développement des entreprises culturelles du Québec pour leur appui à notre programme de publication.

Nous reconnaissons l'aide financière du gouvernement du Canada par l'entremise du Programme d'aide au développement de l'industrie de l'édition (PADIÉ) pour nos activités d'édition.

Collaboration à la rédaction: Jacques Lalanne, Sylvie-Catherine De Vailly
Correctrices d'épreuves: Corinne De Vailly, Françoise Le Grand
Mise en pages: André Lemelin
Graphisme de la couverture: SérifSansSérif

Les Éditions LOGIQUES
7, chemin Bates, Outremont (Québec) H2V 1A6
Téléphone: (514) 270-0208 • Télécopieur: (514) 270-3515
Site Web: http://www.logique.com

Distribution au Canada:
Québec-Livres, 2185, autoroute des Laurentides, Laval (Québec) H7S 1Z6
Téléphone: (450) 687-1210 • Télécopieur: (450) 687-1331

Distribution en France:
Casteilla/Chiron, 10, rue Léon-Foucault, 78184 Saint-Quentin-en-Yvelynes
Téléphone: (33) 01 30 14 19 30 • Télécopieur: (33) 01 34 60 31 32

Distribution en Belgique:
Diffusion Vander, avenue des Volontaires, 321, B-1150 Bruxelles
Téléphone: (32-2) 761-1216 • Télécopieur: (32-2) 761-1213

Distribution en Suisse:
Diffusion Transat s.a., route des Jeunes, 4 ter, C.P. 1210, 1211 Genève 26
Téléphone: (022) 342-7740 • Télécopieur: (022) 343-4646

L'ART DE VIVRE EN SANTÉ

Dépôt légal: premier trimestre 2001
Bibliothèque nationale du Québec
Bibliothèque nationale du Canada

ISBN-2-89381-688-6
LX-798

Sommaire

CHAPITRE 5
L'alimentation et l'énergie. **109**

CHAPITRE 6
Le système digestif et les besoins énergétiques **129**

CHAPITRE 13
Les algues. **173**

CHAPITRE 14
Les fruits **177**

CHAPITRE 15
Le lait et les produits laitiers. **181**

AVANT-PROPOS DE L'AUTEUR

....

Ce livre s'adresse aux gens qui désirent prendre en main leur santé et qui aspirent à vivre en harmonie avec les lois universelles de la vie afin de réaliser un équilibre corps et esprit.

Je vous présente cette conception de la vie fondée sur des principes de médecines orientales et occidentales favorisant non seulement la santé mais la paix intérieure. Notre pensée contrôle nos réalisations et dépend de notre force intérieure. Cette force qui repose sur la pensée, l'esprit, le moral, se répercute sur le corps.

INTRODUCTION

....

*L*es Orientaux s'occupent constamment de leur santé physique et morale. Ainsi, lorsqu'ils héritent d'une bonne santé, ils demeurent minces et gardent l'esprit vif. En règle générale, les Occidentaux pensent à se soigner quand survient la maladie. Ce qui creuse un large fossé entre prévention et maladie.

Après des années d'obésité, de malnutrition, de carences, de stress, d'anxiété et d'épuisement, ils récoltent hypertension, hypercholestérolémie, diabète, infarctus et cancer.

La philosophie de la médecine orientale repose sur un concept préventif, visant à établir l'équilibre énergétique.

Première partie

La santé

和

CHAPITRE 1

LES PRINCIPES DE LA MÉDECINE ORIENTALE

•••

Il n'est pas de plus grande richesse que la santé.
Quand la santé va, tout va.
Confucius

Pour les Occidentaux, la santé, c'est surtout l'absence de maladies et de douleur, la victoire sur le mal. Pour les Orientaux, la santé, c'est la vitalité, l'énergie et la force du corps, l'équilibre et l'harmonie de l'esprit.

Si un déséquilibre physiologique ou psychologique survient, une maladie se manifeste. L'équilibre reste le pilier central d'une bonne santé, qui à son tour génère l'énergie nécessaire à la vitalité.

Les Orientaux tentent d'améliorer leur santé par des soins naturels avant de faire appel aux soins médicaux.

En Occident, on a développé des soins médicaux fort appréciables en cas d'urgence.

LE PRINCIPE DE LONGÉVITÉ

La vieillesse est inévitable.
Mais la faiblesse et la maladie sont inexcusables.

Par son mode de vie, l'alimentation, la relaxation, l'exercice physique et la pensée sereine, l'approche orientale aide à construire son énergie vitale.

L'alimentation saine et l'attitude plus sereine des Orientaux leur évitent, entre autres, de nombreuses maladies comme l'hypoglycémie, la sclérose en plaques ou la maladie d'Alzheimer, que l'on retrouve peu en Asie.

Depuis des siècles, la médecine orientale s'applique à maintenir l'énergie et à prolonger la vie en enseignant une saine alimentation, des exercices physiques choisis et une attitude mentale sereine.

Les Occidentaux considèrent la maladie comme normale et inévitable. Ils l'acceptent comme une fatalité. Ils en recherchent peu les causes ou les cherchent à l'extérieur plutôt que de réviser leur mode de vie.

Les Orientaux ont acquis un savoir et une pratique approfondis en santé au fil des siècles. En Occident, on considère souvent ce savoir-faire comme folklorique, car on en ignore les effets bénéfiques.

En général, on ignore l'importance des combinaisons alimentaires à prendre en quantités raisonnables pour ne pas surcharger et fatiguer le système.

En combinant les découvertes de l'Orient et de l'Occident, on pourra dans ce nouveau siècle parvenir à une meilleure santé globale.

L'ÉQUILIBRE YIN ET YANG

La médecine orientale enseigne à maintenir constamment l'harmonie entre les principes yin et yang.

Le yin représente le féminin, le négatif, le froid, les organes internes, le bas, le corps, l'âme, la terre, la lune, la nuit, l'eau, l'obscurité, la couleur verte des fruits et des légumes.

Le yang représente le masculin, le positif, le chaud, les organes externes, le haut, la pensée, l'esprit, le ciel, le soleil, le jour, le feu, la lumière, les couleurs rouge, jaune et orange des fruits, des légumes et des racines.

La philosophie chinoise se base sur ces préceptes fondamentaux pour établir la morale, la science, la pensée et la médecine.

Les principes yin et yang varient selon les régions et dépendent notamment des climats, de l'abondance de l'eau, de la chaleur de l'été ou de la rigueur et de la durée de l'hiver.

La nuit et le jour dégagent des formes d'énergie différentes. Ainsi, un traitement par les plantes se fait le matin ou le soir et l'acupuncture devra être évitée les jours venteux, de pleine lune ou de temps orageux.

La plupart des fruits – mangues, oranges, lychee, etc. – et des plantes qui poussent sous les climats chauds sont yang. Les fruits verts, qui poussent dans des régions plus froides, sont yin. Leur taille est généralement plus grande et ils contiennent moins de liquide et plus de substances comestibles.

L'eau, même celle contenue dans les fruits, est yin. Ainsi, une région où l'eau se trouve en abondance est placée sous l'influence du yin, même si celle-ci se trouve dans un pays yang.

Le yin et le yang tendent constamment à s'équilibrer dans toutes choses. Ainsi, une parfaite harmonie du yin et du yang nous maintient en parfaite santé. De même, une carence de l'une des deux forces entraîne la maladie.

Cet équilibre (ou déséquilibre) s'observe dans le fonctionnement de nos organes: un foie malade entraîne des maux de tête, des vertiges, des bouffées de chaleur. Ce déséquilibre se répercute ensuite sur les poumons qui reçoivent un sang impur, provoquant alors une toux sèche, des douleurs de poitrine, etc.

Le mauvais fonctionnement du foie, du pancréas et de l'estomac entraîne à son tour des répercussions pathologiques dans nos relations. Pour rétablir l'équilibre, on recherchera une alimentation riche en protéines végétales et en légumes verts.

Un cœur affaibli entraîne des symptômes qui se manifestent dans le haut du corps, par des maux de tête, de gorge, des yeux rouges et des saignements de gencives. Pour rétablir l'équilibre, on recherchera alors une alimentation riche en légumes verts et en céréales entières comme l'orge et le sarrasin. Un cœur malade affecte les poumons.

Comme le cœur alimente la rate, le pancréas et les reins, son affaiblissement entraîne indigestion, diarrhée, œdème et baisse de résistance au froid. Pour rétablir l'équilibre, on recherche une alimentation riche en millet, orge et légumes verts en feuilles.

Le pancréas supporte mal l'humidité et le froid. Les symptômes de son mauvais fonctionnement se feront sentir par une faiblesse des reins, l'œdème et de la diarrhée. Il faudra alors éviter l'acidité et prendre plus de riz, de millet, d'orge et de légumes verts.

Les poumons et les reins sont aussi jumelés. Si l'un est malade, il entraînera tôt ou tard le déséquilibre de l'autre.

Les reins sont, pour leur part, complémentaires du cœur. Un mauvais fonctionnement se traduira par de l'insomnie, des maux de dos et des émissions d'urine nocturnes. Une faiblesse des reins entraîne à son tour des troubles internes et des douleurs aux os.

Le foie et les reins sont complémentaires et veillent sur la qualité du sang essentielle aux autres organes.

Un foie affaibli entraîne fièvres, tremblements, hépatite, douleurs abdominales, nausées et jaunisse. Pour rétablir l'équilibre, on recherchera une alimentation riche en légumes verts et rouges à feuilles, bouillon de blé entier, millet et quinoa.

Un dérèglement de la vésicule biliaire entraîne étourdissements, tremblements, irritabilité, vomissements, fièvre, jaunisse (hépatite) et éventuellement problèmes d'ouïe. Pour rétablir l'équilibre, on recherchera une alimentation riche en légumes verts, germinations, bouillon de céréales entières, orge et blé.

La rate et l'estomac dépendent aussi l'un de l'autre. Un mauvais fonctionnement de l'estomac a des répercussions directes sur la rate. Pour en rétablir l'équilibre, on recherchera des aliments alcalinisants, notamment du riz doux, du millet et des légumes verts.

Les poumons régularisent aussi la qualité de la circulation. Ils sont en lien direct avec la peau. Un mauvais fonctionnement des poumons entraîne souvent des frissons et des sensations de froid, et un changement de ton de la voix. Pour rétablir cet équilibre, on recherchera une alimentation riche en bouillon de céréales, orge et légumes verts.

Les poumons et le gros intestin sont interreliés Ainsi, pour traiter adéquatement une toux ou de l'asthme, il est important de régler le problème de constipation et d'élimination des toxines.

LES QUATRE PILIERS DE LA MÉDECINE ORIENTALE

Il n'est pas naturel de souffrir ou de tomber.

La santé repose sur quatre piliers: le physique, le moral, le mental et le spirituel, qui s'influencent les uns les autres. L'affaiblissement d'un pilier provoque des carences chez l'autre. Une carence d'un de ces systèmes provoque un manque, une chute, et fait place à la «maladie». Si le systè-

23

me digestif est déficient, cela conduit à une baisse d'énergie du système nerveux qui affecte à son tour le système immunitaire. Un moral terne crée un déséquilibre sur le plan de l'énergie, favorisant une défaillance de la résistance contre les infections. Ainsi, le moral est en relation avec le système digestif, le mental, avec le système nerveux et le physique, avec le système immunitaire.

LE MORAL, relié au système digestif, a une incidence directe sur l'alimentation, la combinaison des aliments, la digestion, l'assimilation et l'évacuation.

LE MENTAL, relié au système nerveux, a une incidence directe sur les émotions et engendre l'énergie ou la fatigue, la sécurité ou le stress, la sensibilité, la force ou la peur, la concentration ou la confusion.

LE PHYSIQUE, relié au système immunitaire, a une incidence directe sur la lutte contre les bactéries et microbes radicaux libres, et autres agresseurs.

LE SPIRITUEL, relié à l'esprit ou la sagesse, a une incidence directe sur la volonté d'accéder à l'éveil et à une plus grande conscience.

L'union de ces trois forces permet au spirituel de réaliser le bien et de maîtriser le mal dans le monde qui nous entoure.

«L'équilibre personnel amène l'ordre de la famille. L'ordre de la famille amène l'équilibre de la société.»

Depuis des millénaires, en Asie tout comme dans plusieurs civilisations antiques, les guérisseurs possédaient la science des secrets physiques et moraux de l'homme. Leurs enseignements reposaient sur des principes de base et employaient une saine alimentation et une médication à base de plantes. Ces guérisseurs partageaient leur savoir en échange de denrées alimentaires et autres marchandises domestiques.

Depuis toujours, les médecins orientaux ont préconisé l'exercice physique (taï-chi, méditation, kung-fu, Qi-gong et autres) associé à une saine alimentation pour créer ou rétablir l'équilibre dans le corps et dans l'esprit. Ces principes philosophiques taoïstes s'inscrivent dans la ligne de vie de tout être vivant – plante, animal et humain – et ce, à tout instant de son existence.

LES MÉRIDIENS DU CORPS HUMAIN

Notre corps, comme la planète, est divisé en plusieurs régions balisées par des méridiens. Les méridiens avant sont reliés à l'estomac, la vésicule, les reins, la rate, le foie, les poumons, le cœur et la circulation.

Les méridiens arrière sont reliés à la vessie, les trois réchauffeurs*, le gros intestin, l'intestin grêle.

LES ORGANES ET LEURS MAUX

Chacun des organes connaît ses maux particuliers et a des moyens spécifiques de les manifester.

Estomac: Flatulences, gonflements abdominaux, faiblesses aux jambes, états fiévreux, sensations de froid et de faim peuvent provenir d'un dérèglement de l'estomac.

Vésicule biliaire: Fièvre, tremblements, jaunisse, douleurs abdominales, douleurs aux yeux, goût amer dans la bouche, nausée, vomissements avec un goût amer, irritabilité mentale, maux de tête, acouphènes, mal aux épaules, vertige pendant la marche peuvent provenir d'une vésicule biliaire engorgée.

Gros intestin: Maux de dents, douleurs aux épaules, ongles fragiles, écoulement nasal, constipation peuvent provenir d'un dérèglement du gros intestin.

---

*   Les trois réchauffeurs sont des contrôleurs de la circulation dans la construction et la défense énergétique du corps.

Petit intestin: Surdité, yeux jaunes, mauvaise vue, douleurs aux coudes, mal de cou, angine, amygdalite, vertige peuvent provenir d'un dérèglement du petit intestin.

Trois réchauffeurs: Douleurs aux oreilles, surdité, douleurs aux épaules et aux bras, sensation de froid, douleur aux tempes peuvent provenir d'un dérèglement des trois réchauffeurs.

Vessie: Douleurs aux yeux, hémorroïdes, orteils rigides, douleurs aux jointures, maux de tête peuvent provenir d'un dérèglement de la vessie.

Reins: Taches sombres sur le front et les joues, perte d'appétit, diminution de la vision, urines de couleur foncée, émissions d'urine nocturnes, insomnie, maux de dos peuvent provenir d'un dérèglement des reins.

Rate: Nausées, douleur à l'estomac, hoquet, indigestions, insomnie, fatigue, diarrhées peuvent provenir d'un dérèglement de la rate.

Foie: Douleurs au foie, hernie de l'estomac, gorge sèche, vomissements, mauvaise humeur, fatigue, maux de tête, vertiges, bouffées de chaleur peuvent provenir d'un dérèglement du foie.

Poumons: Douleur de la poitrine, toux sèche, amygdalite, angine, respiration courte, état fiévreux, éternuements, toux forte peuvent provenir d'un dérèglement des poumons.

Cœur: Maux de tête, yeux rouges, saignements des gencives, bouche et gorge sèches, lourdeur dans la poitrine, froid et douleurs dans le bras gauche, paralysie des membres peuvent provenir d'un dérèglement du cœur.

Circulation: Douleur, gonflement et crampes dans les bras, poitrine gonflée, yeux jaunes, douleurs à la tête peuvent provenir d'un dérèglement de la circulation.

LES INFLUENCES ATMOSPHÉRIQUES

Les conditions climatiques influencent directement l'activité des organes. Ces influences peuvent ainsi se transformer en malaises.

La pression atmosphérique, le vent, le froid, la chaleur, l'humidité, la sécheresse affectent notre condition physique, l'énergie vitale (QI), les fluides des corps, le sang, le sperme et les vaisseaux.

Le vent fort, le froid et l'humidité affectent la fonction vitale yang, tout en affaiblissant le méridien yin.

Le vent, la chaleur et la sécheresse affectent les fluides du corps et affaiblissent le méridien yang.

LE VENT entraîne vertiges, évanouissements, convulsions, engourdissements et tremblements. Combiné à une autre influence atmosphérique, le vent est le premier facteur de nombreuses maladies, comme rhume, grippe, indigestions, etc. Il convient alors de consommer des aliments qui activent la circulation sanguine, tels que gingembre, poivre de Cayenne, anis étoilé, thym, fenouil et céréales entières.

LE FROID entraîne une baisse des fonctions vitales, notamment des reins et du pancréas. On observe alors diarrhée, douleurs abdominales, sensation de froid, pouls lent. Il convient alors de consommer du gingembre, de l'anis, de la cannelle et du riz brun. Par contre, quand le froid externe entraîne des maux de tête et un pouls rapide, il convient de consommer des racines, des céréales et des légumes de couleur orange (courge et citrouille) et à feuilles vertes. Le froid à l'estomac et aux intestins peuvent causer douleurs abdominales, diarrhée, tremblements et refroidissement des membres. Il convient alors de consommer du riz complet, du gingembre et des graines de fenouil.

LA CHALEUR excessive entraîne fièvre, maux de tête, sueurs, nervosité, pouls rapide. Il convient alors de consommer des jus de fruits, des graines germées, des légumes verts et des plantes diurétiques.

L'HUMIDITÉ entraîne rétention d'eau et maux de tête, lourdeur des membres et enflures. Il convient alors de consommer des céréales entières, riz brun, millet et des légumes verts. L'humidité affecte aussi les organes internes et entraîne le manque d'appétit, de la diarrhée, une insuffisance rénale, l'œdème. Il convient alors de consommer des céréales entières, riz brun, millet, et des légumes de couleurs orange et rouge.

LE FEU DU CORPS entraîne chaleurs, taches rouges aux yeux, inflammations chroniques, furoncles, ulcères, infections, etc. Il convient alors de consommer des céréales entières, riz, millet, amarante, des légumes à feuilles vertes et des fruits non acides.

LA SÉCHERESSE entraîne yeux rouges et larmoyants, nez sec, lèvres sèches, toux sèche, constipation. Il convient alors de consommer des légumes verts, des racines de couleur blanche, du bouillon d'orge mondé et de millet. La sécheresse interne entraîne soif, lèvres sèches, peau sèche, vomissements, diarrhée, sueurs et hémorragies. Il convient alors de consommer du bouillon de riz brun, des graines de fenouil et des légumes à feuilles vertes.

La combinaison du vent et du froid, du vent et de la chaleur ou du vent et de l'humidité entraîne des rhumatismes et de l'arthrite rhumatoïde. Il convient alors de consommer des céréales entières, riz ou sarrasin, des légumes à feuilles vertes et rouges et de la tisane, bardane, bourdaine, pissenlit, etc.

Pour assurer l'équilibre, nous devons posséder les six éléments de stabilité de la vitalité: l'énergie (QI), le sang, l'humidité (l'eau), le feu, le mucus et la nourriture. De plus, sept facteurs émotionnels peuvent causer des troubles pathologiques qui affectent l'énergie vitale: la joie, la colère, la tristesse, l'anxiété, le regret, la crainte et la peur.

Par contre, si ces émotions sont transformées en feu du corps, les symptômes suivants apparaissent: insomnie, irritabilité, goût amer dans la bouche, douleur de poitrine.

Souvent, l'excès d'alcool, de nourriture ou de tabac entraîne des troubles de comportement. Ces abus suscitent bien souvent des réactions colériques excessives, des faiblesses physiques ou encore des problèmes de coordination. Pour reprendre le contrôle de la situation, on doit s'allonger et se reposer afin que son système récupère. La surcharge du foie, de l'estomac ou de tout autre organe se manifeste bien souvent par des changements de caractère. Il en va de même pour le rhume ou la grippe qui ont des conséquences directes sur l'attitude et le comportement des gens.

CHAPITRE 2

LES PRINCIPES DE LA VIE HUMAINE

Avec une terre riche en minéraux
Une forêt est riche en verdure.
Avec un peuple en bonne santé
Un pays puissant et fort se construit.

*S*elon la pensée orientale, l'ultime but de la vie humaine est de prolonger la vie sur terre, équilibrer le corps et l'esprit, s'harmoniser avec les lois de l'univers et maîtriser la vie au quotidien.

La force physique, mentale et spirituelle dépend de la quantité d'énergie «macrocosmique» absorbée et emmagasinée dans notre organisme. Cette énergie produit la nourriture, l'oxygénation et l'harmonie naturelle de l'univers.

Un manque de cette énergie entraîne un affaiblissement de notre force vitale, occasionnant ainsi la maladie.

LE CYCLE DE L'ÉNERGIE HUMAINE

Selon la tradition orientale, l'énergie se manifeste par la croissance de chaque personne sur des cycles de sept ans pour les femmes et de huit ans pour les hommes.

Le cycle global de l'énergie humaine se divise en deux périodes:

- de 0 à 50 ans: le plein d'énergie et les abus;
- de 50 à 80 ans: la baisse d'énergie et les problèmes de santé.

L'énergie dépend de l'hérédité biologique et du mode de vie de chacun. À la naissance, l'enfant possède son maximum d'énergie si, pendant la grossesse et l'allaitement, la mère ne consomme pas d'alcool, de caféine, de tabac ou de sucre. Dans le cas contraire, un nouveau-né mal nourri commencera très tôt à en ressentir les effets nocifs et ce, jusqu'à sa puberté.

Plus on avance en âge, plus cette énergie diminue jusqu'à la ménopause ou l'andropause.

L'industrialisation – le stress, la pollution, l'élevage et l'agriculture chimiques – a hypothéqué de 10 ans notre cycle d'énergie. Au lieu de durer 50 ans, la phase de plein d'énergie ne dépasse pas aujourd'hui les 40 ans.

Nous vivons aujourd'hui plus longtemps qu'il y a 100 ans, mais les années que nous avons gagnées, nous les vivons malades, impotents ou prolongés grâce à une greffe d'organes.

En moyenne, trois personnes sur cinq souffrent de problèmes cardiaques, d'arthrite, d'hypertension, de diabète, d'insuffisance rénale et de cancer. Les symptômes de préménopause ou de préandropause se manifestent plus tôt, et entraînent aujourd'hui de nombreux troubles tels que les bouffées de chaleur, migraines, hypertension, constipation, diarrhée, diabète de l'enfance à la vieillesse, excès de cholestérol, etc.

LE DÉVELOPPEMENT DU BÉBÉ

De 0 à 2 ans

Une étape décisive pour la santé, pour toute la vie.

L'alimentation joue donc un rôle essentiel dans la croissance et le développement de la fillette durant ses premières années. Une bonne nutrition est nécessaire au développement du cerveau qui emploie jusqu'à 50 % de l'énergie des aliments. C'est aussi durant cette période que les dents poussent: cela nécessite énormément d'énergie de l'organisme de l'enfant.

Un bébé nourri au lait maternel sera moins touché par les troubles digestifs qu'un enfant nourri au lait de vache. Ses selles seront plus molles et il ne souffrira ni de constipation ni de coliques. Le lait de vache contient trois fois plus de protéines que le lait maternel, ce qui fait grandir le bébé trop vite. Le lait de vache contient 85 % de caséine et le lait maternel en contient 40 %. Le lait de vache n'est assimilé qu'à 50 % par le système digestif (les 50 % restant surchargent le système digestif, le foie et les reins). Le lait maternel est assimilé à 92 %.

Un bébé nourri au sein résiste davantage aux infections; il est en général moins gros, plus vif, plus curieux, plus calme et plus fort de caractère. Ses mouvements sont plus rapides, son teint plus rose et ses dents poussent droites et solides, sans causer de malaises.

Un bébé nourri au lait de vache se défend moins bien contre les attaques extérieures. Ces enfants souffrent davantage de constipation, de coliques, d'eczéma et d'infections. Son teint est plus pâle; il a tendance à s'enrhumer plus facilement, a des otites à répétition et souffre de gastro-entérites plus souvent. Il est plus maussade et plus colérique. Ses mouvements sont plus lents et moins assurés.

Une alimentation trop riche en sucre, en gras et en aliments transformés (purées et aliments préparés pour bébé) est bien souvent la cause des coliques, de la mauvaise digestion, de la constipation et de l'eczéma du bébé. Une accumulation de gras chez le nourrisson peut entraîner une tendance à l'obésité. Une carence en vitamines et en minéraux peut causer des déficiences. L'enfant devient alors souvent plus chétif et hyperactif.

Autrefois, on avait coutume de donner au nourrisson un biberon d'eau tiède et de sucre pour le calmer et l'endormir. Le sucre blanc raffiné affecte le foie et occasionne des retards de croissance, rend le bébé irritable et agressif. Ce genre de pratique peut, à long terme, engendrer hypoglycémie, obésité ou même diabète.

Un bébé en santé dort en moyenne 15 heures par jour. Dès l'âge de trois mois, il dort une dizaine d'heures par nuit, sans interruption.

Il est préférable pour le nourrisson que sa mère, si elle le désire, l'allaite durant un an. Après trois ou quatre mois, elle alternera avec un mélange de lait de chèvre écrémé et de lait de soja ou de riz additionné trois cuillérées à table de tisane de réglisse et de graines de fenouil.

Les jus de légumes frais biologiques feront lentement place à une alimentation plus solide en passant par la purée. On pourra ajouter à l'alimentation du nourisson de la boisson de son d'avoine ou de riz brun biologique, additionnée de lécithine. L'huile de foie de morue aide à former une dentition solide et en santé.

Si l'enfant a de la fièvre ou que la douleur est insupportable lors de la poussée de ses dents, on ajoutera des suppléments de calcium à sa nourriture. On peut aussi lui donner de la tisane de pissenlit avec réglisse et graines de fenouil, qui est également excellente pour le foie.

Il est conseillé d'éviter de donner du sel et du sucre aux enfants de 0 à 2 ans: cela surcharge les reins, provoque des douleurs lors de la poussée des dents et cause des déformations physiques durant la croissance.

Quelques aliments bénéfiques pour bébé

La banane mûre ou cuite peut être consommée dès l'âge de 5 à 6 mois. Cependant, elle n'est pas recommandée pour les petits souffrant de coliques, ou possédant un estomac ou un intestin fragile.

La patate sucrée est un aliment énergétique à donner en collation.

Les céréales, riz et orge, ou amarante, mélangées avec du son d'avoine et de la lécithine sont excellentes pour la santé de bébé, à partir de l'âge de 7 mois.

Les purées de fruits, poires, pommes, prunes, sont nutritives et faciles à digérer. Il est conseillé d'en donner entre les repas.

Les fruits, raisin, melon de miel, cantaloup postéique, avocat, sont appropriés quand les dents ont poussé.

Les purées de carottes, citrouilles et carde rouge conviennent à un bébé de 4 mois.

Les purées de légumes, brocoli, courge, chou-fleur, pois, chou chinois, épinards, panais, conviennent aux petits de plus de 8 mois qui n'ont pas de problèmes de digestion.

Les légumes à feuilles vertes sont plus alcalins et donc plus faciles à digérer.

La purée de poisson avec des céréales comme le riz et l'amarante convient au bébé qui a déjà ses dents.

Le yogourt de chèvre naturel peut être sucré avec de la mélasse verte, riche en fer, ou du jus de fruits frais sans sucre.

Le poulet de grains en purée peut être consommé à partir de 8 mois.

Les lentilles en purée peuvent être données à l'enfant de 12 mois s'il n'a pas de flatulences.

Éviter de donner à l'enfant de la nourriture acide, de la friture ou des aliments pouvant fermenter dans l'estomac ou provoquer des problèmes digestifs ou encore des allergies (voir *Le petit guide de la santé*).

Il est préférable de ne pas trop mélanger d'aliments dans un même repas pour bébé, afin d'éviter la fermentation et les coliques. L'estomac et l'intestin demeurent fragiles jusqu'à l'âge de 12 mois. Trois aliments par repas, par exemple riz, tofu et un légume vert, sont suffisants.

Le teint et le sommeil de l'enfant sont d'excellents indices de son état de santé. Un teint rosé et un visage reposé sont des indices de bonne santé.

Une tisane de racine de pissenlit, de racine de réglisse et de graines de fenouil aide la digestion et peut être donnée aux enfants après chaque repas, sans excéder 4 c. à soupe.

Tisane de pissenlit

1 c. à thé de racine de pissenlit
1/4 c. à thé de racine de réglisse
1/2 c. à thé de graines de fenouil
Mélanger le tout dans un bol.
Laisser infuser 1/2 c. à thé avec 1 tasse d'eau distillée. Faire
      bouillir à feu doux pendant 7 minutes.
Prendre 1/4 de tasse de tisane et laisser tiédir avant de donner à l'enfant.
À lui donner dès l'âge de 3 mois.

LE DÉVELOPPEMENT ET LA SANTÉ DE LA FEMME, DE L'ENFANCE À LA VIEILLESSE

De 2 à 7 ans

> *Nous n'avons pas courbé correctement la tige*
> *de bambou quand il était tendre et petit.*
> *Il est trop tard pour le corriger lorsqu'il est âgé.*

Dès l'âge de deux ans, la petite fille franchit de grands changements: son caractère, son apprentissage, son développement et sa croissance la transforment. Une bonne alimentation et des suppléments de calcium en pays froids deviennent nécessaires pour contribuer à la formation de ses dents et aider sa croissance.

Très tôt, l'enfant manifeste ses goûts. Bien que ses papilles gustatives ne soient pas encore développées pour certaines saveurs, elle reconnaît assez vite les aliments qu'elle aime et ceux qu'elle ne désire pas manger. Il est important d'insister un peu pour qu'elle découvre et développe son goût pour les nouveaux aliments qu'on lui présente. Il est cependant essentiel de respecter ses préférences et ne pas lui imposer les nôtres. On ne doit pas oublier que les goûts des adultes diffèrent des goûts d'un petit enfant, puisque les besoins de l'organisme diffèrent aussi. Beaucoup d'enfants n'apprécient pas les goûts acides, très salés ou très sucrés. Mais l'enfant doit évidemment manger sainement pour vivre en santé.

La constipation, problème relié à la digestion, nuit à la croissance. Pour veiller à la santé de l'enfant, on observe ses selles (constipation, diarrhée, quantité et couleur) si l'enfant est agressif, si son ventre est anormalement gonflé, si son nez est souvent bouché ou s'il coule souvent, s'il a des rougeurs autours des yeux, s'il fait de l'eczéma sur les joues. À noter aussi des rougeurs aux fesses, aux yeux, aux joues, aux genoux et aux bras, causés par une alimentation trop grasse ou trop acide.

Il est très important d'éviter la consommation de sucre chez un enfant, dès son plus jeune âge. S'il développe très tôt la mauvaise habitude d'en manger, s'il y prend goût, il sera très difficile de le dissuader de ne plus en consommer. Il est donc de la responsabilité des parents de voir à ce que leur enfant ne consomme pas trop de sucre (biscuit, gâteau, etc.), pour son bien-être immédiat et futur.

Dès l'âge de 3 ans, le système nerveux et le cerveau travaillent conjointement à la défense du corps. L'enfant traverse donc des phases de développement se répercutant sur son caractère. Un enfant sainement nourri traverse cette période avec facilité. Il est plus calme, plus serein et plus patient. Au contraire, si son alimentation est trop riche en sucre, en gras, en sel ou en aliments en conserve, les toxines s'accumulent dans son foie. Il pourrait éventuellement souffrir d'obésité, d'otite chronique, d'asthme, de myopie ou encore avoir trop fréquemment des grippes et être souvent de mauvaise humeur.

La constipation entraîne souvent des problèmes d'obésité. L'enfant devient alors plus sensible aux maladies infectieuses.

Une perte d'appétit annonce souvent un rhume, une grippe ou une otite. Il convient alors d'ajouter à son menu des vitamines, des minéraux naturels, notamment calcium, huile de foie de morue. L'alimentation se composera principalement de céréales entières, de légumes verts et de graines.

Un déséquilibre vital peut aussi être causé par un manque d'affection et d'amour. Les enfants de 3 à 6 ans ont besoin de l'amour et de l'attention de leurs parents. Un enfant qui mouille son lit ou qui fait régulièrement des cauchemars souffre généralement d'insécurité. Le déséquilibre que manifeste un enfant est peut-être relié à une séparation ou à un problème personnel qu'il vit.

De 7 à 14 ans

À partir de 7 ans, les enfants possèdent leurs dents d'adulte et ont souvent des caries dentaires, principalement dues aux aliments sucrés. Une alimentation à base de céréales entières assurera un meilleur développement de leur dentition.

La jeune fille aura tendance à devenir moins docile et fera montre de plus de détermination, surtout si elle se met à fréquenter les restos minute avec ses amies. Elle réclame alors plus d'attention et d'encadrement, surtout si elle traverse une période de problèmes personnels. Ce genre de difficultés peut être relié à des problèmes digestifs et nerveux. L'enfant qui souffre d'une carence affective devient plus turbulent et moins appliqué à l'école. Ces provocations envers leur entourage ne sont que des incitations à mieux les considérer.

Ces déséquilibres du système nerveux affectent directement le système digestif qui, à son tour, gagne le système hormonal entre 11 et 13 ans. Il est fréquent de voir des poils apparaître avant que la jeune fille n'ait ses règles. Il est alors recommandé de faire attention à sa consommation de sucre, de l'inciter à manger sainement et à prendre des vitamines appropriées.

Les enfants de 7 à 10 ans se laissent plus facilement influencer pas leurs amis plutôt que par le raisonnement parental sur les bienfaits d'une saine alimentation. Ce genre d'alimentation occasionne bien souvent des troubles de constipation qui ouvrent la porte aux maladies infectieuses. La nervosité offre, quant à elle, un terrain propice à l'asthme. Il faut donc se montrer rigoureux avant de regretter un certain laxisme.

Les jeunes filles qui font du sport ont intérêt à faire attention aux produits acidulés comme les jus commerciaux contenants aussi des colorants et des agents de conservation. À long terme, une mauvaise alimentation peut avoir des effets néfastes, comme des problèmes de croissance (par exemple du rhumatisme aux genoux). Les anti-inflammatoires et les analgésiques sont aussi à éviter, car ils affectent le système nerveux.

De 11 à 13 ans

À partir de cet âge, la jeune fille entre dans la période de l'adolescence, qui peut s'avérer difficile pour elle comme pour les parents. Les hormones provoquent de nombreux changements dans son organisme. Subissant plus de stress extérieur, et voulant davantage s'affirmer, plaire et se détacher de l'enfance, l'adolescente devient plus irritable, plus agressive. Son système nerveux devient plus fragile, plus vulnérable. Divers symptômes apparaissent, comme l'eczéma, les troubles de concentration et de mémoire, rendant cette période encore plus difficile à passer. Si de plus elle éprouve des problèmes personnels, comme la séparation de ses parents, la situation n'en sera que plus difficile.

Il est important d'encourager la jeune fille à faire du sport et des activités de plein air. Le conditionnement physique oxygène le sang, le cerveau, et régularise le système nerveux. Il est nécessaire cependant d'éviter le surmenage. Trop de sport encourage un dépassement des limites, qui n'est pas forcément la meilleure des choses, car un tel excès entraîne une baisse importante d'énergie, donc une moins bonne résistance aux infections.

Voici les signes d'un épuisement physique et mental à surveiller si votre fille est une sportive infatigable: elle s'agite beaucoup en dormant, souffre d'insomnie, d'asthme ou mouille son lit. Ces caractéristiques indiquent une baisse de vigueur du système immunitaire.

Il est nocif de donner des somnifères à un enfant; ces hypnotiques ou sédatifs déséquilibrent le système nerveux et le système digestif. Un enfant qui chute souvent est aussi à surveiller. Dans un tel cas, il est recommandé de faire examiner l'enfant régulièrement: au mieux, ce peut être un problème de fatigue ou de concentration, au pire, un cancer des os qui progresse quelquefois insidieusement.

Équilibrer l'alimentation est primordial. On régularise notamment l'ingestion et l'évacuation des aliments acides. En aidant l'assimilation, on influence la croissance. Il est également souhaitable d'ajouter un supplément de vitamines, A et C, de minéraux, calcium, magnésium, fer. Le manque de fer peut entraîner l'anémie.

Si le système digestif fonctionne bien, l'enfant est calme et ne souffre pas d'obésité ni de stress. Sa mémoire et sa concentration en sont améliorées. Elle est énergique, émotivement équilibrée et a un sommeil récupérateur. Elle se défend mieux contre les infections, ce qui en général rend son caractère et son tempérament plus faciles.

Une alimentation trop riche en sucre, gras, boissons gazeuses, aliments en conserve, épices, café et abus d'alcool, de tabac et de drogue affectent considérablement la croissance.

Quand la jeune fille a ses règles, il est normal qu'elle se sente stressée, ce qui augmente la douleur, la nervosité et la mauvaise humeur. Des troubles digestifs, des gonflements abdominaux et des maux de tête accompagnent souvent les règles. Ces symptômes sont bien souvent liés à la nervosité, l'irritabilité, le mécontentement, la constipation ou la diarrhée. Ces manifestations sont aussi associées à un manque de concentration.

Les enfants, quel que soit leur âge, ont besoin de se sentir appuyés et aimés par leurs deux parents et leur famille. Les problèmes et les tensions au sein de la famille ne peuvent être que nuisibles à leur croissance et à leur évolution.

De 13 à 14 ans

Le système hormonal continue d'influencer le système digestif, et aussi le caractère. À cet âge, la jeune fille est souvent plus agressive, moins disciplinée et moins active. Surviennent alors les problèmes de concentration et de mémoire. Apparaît aussi un mal à s'adapter à ses changements physiologiques, qui transparaît dans le maintien et la posture de l'adolescente qui se tient souvent le dos courbé ou croche. Des maladies physiques et psychologiques font aussi leur apparition, notamment anorexie, boulimie, obésité, asthme et eczéma.

Les excès font partie de cette tranche d'âge. Les jeunes se couchent tard, mènent une vie sédentaire, subissent de mauvaises influences et certains goûtent à la sexualité. Ce mode de vie, qui semble faire partie du monde qu'ils découvrent, nuit à leur développement. Ces abus, associés à une malnutrition, entraînent des problèmes physiques et psychologiques, notamment des relations difficiles entre parents et enfants.

Il est important de guider les habitudes alimentaires de la jeune fille et de prêter une attention spéciale à certains indices, comme la constipation, associée à l'acné, la diarrhée, les gonflements abdominaux, flatulences, tendance à l'obésité ou à l'anémie.

L'insécurité est reliée à une alimentation de piètre qualité, le stress, à une alimentation trop acide, accentuée par une remise en question constante de la confiance en soi. L'adolescente peut aussi avoir des pertes ou des infections vaginales. Ces deux problèmes sont bien souvent reliés à une faiblesse du système immunitaire.

Il convient d'encourager les adolescentes à faire du sport. Ainsi, elles demeurent minces, souples, énergiques et détendues. Leur système nerveux se porte mieux, leurs petits maux disparaissent et les changements hormonaux se passent sans trop d'encombres.

À une saine alimentation, il est recommandé d'ajouter des suppléments de vitamines B_{12}, de fer et minéraux, notamment calcium et iode.

De 14 à 21 ans

En pleine croissance hormonale. Plus de volonté, une grande force protectrice ou destructrice pour la famille.

De 14 à 16 ans, le corps de la jeune fille se développe très rapidement. L'adolescente devient plus belle, plus attrayante, plus féminine. Plus influençable mais pleine de volonté, elle cherche à acquérir son indépendance. C'est aussi la période des premières déceptions amoureuses. Romantique, elle vit alors ses sentiments à fleur de peau et passe par diverses gammes d'émotions. Elle connaît la jalousie, la déception, l'abandon, la crainte de ne pas être aimée ou appréciée.

C'est aussi l'âge où les risques de suicide sont les plus présents. C'est une période délicate, où les parents doivent être vigilants, se montrer fermes, mais aussi réceptifs à ce qu'elle vit.

Les jeunes peuvent vivre certains drames, parfois inconnus d'un ou des parents – inceste, violence, abus sexuels, etc. –, qui peuvent déclencher de graves problèmes mettant en jeu jusqu'à leur vie même. Les souvenirs refoulés, les préoccupations non dites affectent le système nerveux et l'affaiblissent à plus ou moins long terme. Il est fréquent de voir des femmes de 35 à 45 ans ayant un cancer du sein ou des problèmes d'organes génitaux comme l'endométriose, découvrir, après tout ce temps, qu'elles ont été abusées sexuellement ou ont vécu dans leur jeunesse d'autres drames tout aussi marquants.

La jeune fille a ses règles, généralement entre 12 et 14 ans, au plus tard vers 16 ans. La puberté est cependant plus précoce à chaque génération. Les pertes vaginales sont fréquemment associées à ce phénomène naturel.

Pour elle, il est souhaitable d'exclure de l'alimentation le gras animal, le sucre, les aliments en conserve, les épices, le café et surtout drogues, alcool et tabac qui nuisent au développement, à la beauté, à la jeunesse et à l'apprentissage. En s'alimentant sainement, elle évite l'apparition de l'acné sur le visage, le dos et la poitrine. Elle prévient aussi stress, asthme, nervosité, diarrhée, indigestion, infections vaginales, règles douloureuses et abondantes, anémie et fatigue excessive (la jeune fille peut dormir de 10 à 12 heures par nuit).

C'est une période laborieuse pour l'adolescente, mais aussi pour les parents. La communication se fait plus difficile. La jeune fille est tiraillée entre l'enfance qu'elle hésite à quitter et le monde adulte qu'elle souhaite découvrir. Lorsque la communication ne s'établit pas, ou se révèle difficile avec les parents, c'est souvent par le mensonge que l'adolescente tente de s'en sortir.

Une bonne alimentation assure à l'adolescente un développement équilibré. Cet équilibre affecte à son tour son moral, son mental et favorise l'éveil spirituel. Cet équilibre engendre une personne saine et en bonne santé, qui passe plus facilement à travers les drames possibles.

Dans le cas contraire, un déséquilibre alimentaire et psychologique entraîne des malaises au sein d'une famille qui finit bien souvent par éclater. Il n'est pas rare, dans ce genre de situation, de voir les enfants répondre à ces crises par des fugues. Un enfant mal dans sa peau, se sentant rejeté par sa famille et par ses amis, cherche ailleurs le réconfort, le soutien et l'amour dont il a besoin. Si l'adolescente ne part pas, elle manifeste autrement ses malaises. Elle devient alors plus craintive, triste, indécise, elle manque de concentration dans ses études, a des tendances suicidaires ou tombe dans les abus de drogue et d'alcool.

Les parents ont la responsabilité de suivre de près leur enfant et d'être à son écoute. En aidant leur enfant à canaliser ses émotions et à être bien dans sa peau, les parents donnent à leur jeune la vie équilibrée essentielle au développement d'un adulte épanoui.

Conseils de santé pour l'adolescente

Observer les signes physiques: acné, asthme, éruptions cutanées.

Observer les signes psychologiques: fatigue excessive, nervosité, changements d'humeur soudains, anxiété, indécision.

A-t-elle des règles douloureuses ou abondantes accompagnées de maux de tête, de nausées, de colites?

Sa digestion est-elle bonne? Souffre-t-elle de boulimie, ou a-t-elle des tendances à l'anorexie?

Est-elle complexée par son poids?

Vérifier régulièrement la taille et le poids de la jeune fille, et les comparer à ceux de son groupe d'âge.

Les barres nutritives vendues sur le marché à des fins amaigrissantes ne sont pas assez fortifiantes pour une jeune de cet âge qui, pour sa croissance et son développement, a besoin d'aliments plus énergétiques, à base de céréales entières.

Plutôt que de lui conseiller de suivre un régime amaigrissant, il est préférable d'encourager la jeune fille à faire du sport afin de maintenir son poids et sa santé. Une bonne forme physique favorise un meilleur équilibre émotionnel et spirituel. Il est cependant important de surveiller les chutes durant les pratiques sportives. Non traitées, les blessures peuvent, à long terme, occasionner arthrite et arthrose.

Il est souhaitable d'ajouter à une saine alimentation composée de fruits, de légumes, de céréales entières, de légumineuses et de graines, des suppléments de vitamines C, A, B, et de minéraux, fer, calcium, iode, et de la levure de bière.

Entre 18 et 21 ans, la jeune femme qui est généralement de caractère indépendant peut être attirée par des hommes plus âgés qu'elle, souvent la trentaine passée. Ce genre de liaison se termine bien souvent par une rupture, car à cet âge la jeune femme a tendance à idéaliser ce genre de relations amoureuses et à y voir des passions romantiques, sous-tendant une recherche de l'amour paternel. Très vite cependant, elle réalise que cette relation n'est ni équitable ni équilibrée. Le caractère protecteur et trop sévère de l'amant se révèle rapidement inacceptable pour une jeune fille indépendante.

La rupture est souvent douloureuse et la blessure cuisante face à la découverte d'un amour décevant. Ces déceptions n'auront, il est à souhaiter, que peu de conséquences sur ses relations futures. La jeune femme qui a une saine alimentation et une belle conception de la vie passe plus facilement à travers ces déceptions, qui entraînent souvent des troubles digestifs.

De 21 à 28 ans

Au cours de cette tranche d'âge, la femme devient autonome, débrouillarde et pleine d'ambition. Elle sait ce qu'elle veut et prend ses propres décisions.

Bien dans sa peau, elle prend soin d'elle et de son corps. Idéaliste, elle possède énormément d'énergie et un grand esprit de compétition. Elle forge des projets à plus long terme et bâtit son avenir professionnel.

Elle est plus stressée, plus impatiente, et commence à éprouver certains problèmes qui pourraient avoir des conséquences graves plus tard. La réussite professionnelle et personnelle ont de grandes répercussions sur la santé. C'est l'âge des rencontres et d'une grande activité sociale. La jeune femme est moins happée par les problèmes familiaux et sait se montrer plus distante, plus raisonnée. Elle dépend moins émotivement de sa famille.

C'est généralement durant cette période qu'elle se trouve un compagnon de vie et fonde une famille. Si elle s'est construit une bonne santé, elle en récoltera les effets bénéfiques sur sa vie de couple et ses enfants. Dans le cas contraire, sa vie familiale pourrait en être affectée à plus ou moins long terme.

À cet âge, une alimentation peu nutritive et déséquilibrée affecte la beauté physique, entraîne des risques d'anémie, d'acné et l'apparition de rides, et réduit la volonté et le désir.

Se manifestent alors des troubles digestifs qui, à leur tour, engendrent des problèmes de santé, constipation, colites, eczéma, migraines, obésité, déséquilibre thyroïdien, endométriose et stress émotif.

Conseils de santé pour la femme de 21 à 28 ans

Durant cette période, la jeune femme franchit de grands changements dans sa vie personnelle. Ses sentiments sont bien souvent bouleversés par des événements marquants tels que réussite professionnelle, mariage, départ de la maison familiale, etc. Une saine alimentation, comprenant des céréales entières, des suppléments de fer, des vitamines dont la B_{12}, l'iode, l'aide à maintenir son équilibre émotionnel. Le sport consolide son équilibre corps – esprit.

Par ailleurs, la pilule contraceptive et les antibiotiques augmentent bien souvent les problèmes de digestion, les infections vaginales, les troubles hormonaux et les douleurs menstruelles.

De 28 à 35 ans

La femme de cette tranche d'âge vit pleinement sa vie, avec une situation sociale souvent bien établie. Sa vie professionnelle et familiale est remplie et satisfaisante. Si la femme désire avoir des enfants, c'est l'âge idéal. Sa stabilité, son esprit plus raisonnable, sa personnalité plus responsable et sa maturité engendrent un bébé en bonne santé physique et mentale. Sûre d'elle, bien dans sa peau, plus apte à faire face à la vie et à en comprendre les mécanismes, cette femme recherche à son tour à assumer des responsabilités et a le désir d'avoir et d'élever un enfant. Ses échanges avec ses propres parents changent et les frictions passées se perdent dans l'oubli.

Si, cependant, la femme vit une séparation qui tourne mal, son malheur se reflétera sur les enfants. Elle doit donc être très attentive à ce qu'elle projette comme sentiments.

Conseils de santé pour la femme de 28 à 35 ans

En plus d'une alimentation équilibrée, on évitera les stimulants qui à long terme engendrent des dépressions nerveuses et qui ont des répercussions sur la famille.

À cet âge, la femme qui subit trop de stress aura divers problèmes de santé, troubles digestifs, asthme, colites, eczéma, endométriose, syndrome prémenstruel, cellulite, varices, troubles thyroïdiens, hypoglycémie, infections vaginales, anémie et même des kystes et des fibromes.

Ces troubles de santé peuvent lui donner la crainte d'avoir des enfants. Il est essentiel de soigner le mode de vie, l'alimentation et l'activité physique. Le sport devient très important pour maintenir le poids, la forme physique et l'équilibre psychologique.

Pour prévenir notamment l'anémie, il est recommandé de prendre des suppléments de vitamine B_{12}, B_6, levure de bière, minéraux, calcium, magnésium, fer, iode, et de prendre des tisanes calmantes pour réduire la nervosité et le stress.

De 35 à 42 ans

> *L'enfant est intelligent grâce aux soins de sa mère.*
> *Si la mère est malade, l'enfant souffre d'insécurité.*

À cette période, la femme assume de nombreuses responsabilités professionnelles, personnelles et familiales. Trop de pressions extérieures, trop de problèmes familiaux ou professionnels rongent la résistance physique, morale et spirituelle de la femme. La résistance au stress dépend de l'énergie vitale.

Si le stress et la fatigue physique et intellectuelle perdurent, ils peuvent entraîner agressivité, acné, mononucléose, anémie et troubles hormonaux.

Conseils de santé pour la femme de 35 à 42 ans

Une alimentation équilibrée aura des bienfaits physiques – énergie et beauté – et intellectuels, concentration, mémoire, etc. Elle aide à prévenir cernes, eczéma, psoriasis, pertes vaginales, déséquilibre hormonal, troubles thyroïdiens, bouffées de chaleur, irritabilité, agressivité et impatience.

C'est une tranche d'âge difficile, car la femme fait quotidiennement face à des responsabilités et des problèmes, tant professionnels que familiaux. Elle gère des conflits qui engagent sa responsabilité, et peuvent occasionner certains troubles physiques et psychiques. Cela se manifeste bien souvent par le blanchissement ou la perte des cheveux, de brusques changements de caractère, de la tristesse, de la mélancolie, de l'anxiété.

Un système digestif plus paresseux, un système immunitaire affaibli entraînent des problèmes de santé sérieux: insomnie, obésité, anémie, diabète, arthrite, rhumatisme, asthme, insomnie et sclérose. Une surcharge du foie et des reins occasionne une sensibilité à certains aliments gras et épicés. Les stimulants et le sucre entraînent aussi des troubles: insomnie, migraines, troubles thyroïdiens, kystes aux ovaires ou tumeur à l'utérus.

Le stress, les migraines, un ventre trop gonflé, la constipation, la diarrhée occasionnent des menstruations plus douleureuses, plus abondantes et accompagnées de caillots.

Il est important de surveiller son alimentation et surtout les combinaisons alimentaires. Il est utile de prendre des suppléments de vitamines, des enzymes, de la levure de bière et des minéraux, notamment iode, fer et B_{12}.

Une femme de 40 ans, encore célibataire et n'ayant pas d'enfant, a souvent eu une santé faible et une personnalité timide depuis son enfance. Ses troubles de santé se manifestent par une mauvaise circulation, des règles douloureuses et abondantes et un haut taux de stress. Son désintérêt pour créer une famille peut provenir d'un choix personnel, d'une hésitation, d'une ambition professionnelle ou autres motifs psychologiques.

Un déséquilibre du système hormonal favorise le développement des maladies. On rencontre fréquemment chez les femmes sans enfant des problèmes de santé importants: arthrite, rhumatisme, fibromyalgie, endométriose, kystes aux ovaires, fibromes à l'utérus, et stress.

De 42 à 49 ans

Préménopause - risque de rupture conjugale

Cette tranche d'âge peut être difficile à passer. Bien souvent la femme vit une période de remise en question, aussi bien professionnelle ou conjugale que familiale. Plusieurs sentiments, regrets, souvenirs et frustrations refont surface. La communication entre les conjoints devient difficile et le couple traverse une période d'incompréhension. Les relations avec les adolescents deviennent compliquées et de nombreuses disputes sont au programme quotidien. Un sain équilibre alimentaire et psychologique aide la femme à passer plus facilement à travers ces conflits.

Les premiers signes de vieillissement apparaissent: cheveux gris, douleurs articulaires, arthrose, arthrite, rhumatisme, varices et troubles digestifs. Les effets de la préménopause commencent à se faire sentir, avec bouleversements émotifs, changement de caractère, nervosité et irritabilité. À cela s'ajoutent les problèmes de poids, les infections vaginales et même l'endométriose. La fatigue est plus présente et le stress, plus fréquent. Apparaissent alors des maladies résultant d'une trop grande accumulation de toxines: fatigue chronique, bouffées de chaleur, hypoglycémie, troubles thyroïdiens, fibromyalgie, infections urinaires, anémie, angines, néphrites, névrites et éventuellement le cancer. Des règles douloureuses s'accompagnent parfois de baisses d'énergie, de migraines et de tremblements.

Durant cette tranche d'âge peuvent apparaître des problèmes de foie – hépatite, cirrhose ou cancer – surtout si on a abusé de l'alcool durant plusieurs années. La sclérose en plaques, qui se manifeste d'abord par des fourmillements dans les doigts, des raideurs aux pieds, des douleurs musculaires, peut aussi apparaître durant la quarantaine.

Beaucoup de séparations ont lieu dans cette période, et bien souvent à cause d'un manque d'équité entre les conjoints. La femme se sent trop soumise et réclame plus de liberté. Ou encore la femme est beaucoup plus jeune que son conjoint et cet écart d'âge devient conflictuel. Des problèmes de santé peuvent aussi rendre cette période difficile à supporter.

Chez les célibataires, la solitude devient lourde à porter.

Conseils de santé pour la femme de 42 à 49 ans

À cet âge, les troubles physiques et mentaux sont souvent des conséquences directes des mauvaises habitudes passées.

Il est également important de ne pas subir d'émotions trop brusques.

Pour celles qui ont des problèmes de santé depuis l'enfance – constipation, diarrhée chronique, anémie –, il est fort possible qu'elles développent de graves problèmes hormonaux, des menstruations irrégulières et abondantes, des fibromes à l'utérus ou des kystes aux ovaires. Ces troubles sont bien souvent reliés au stress, au surmenage et aux problèmes affectifs. La femme a alors intérêt à se reposer davantage et à ralentir ses activités sociales.

Les troubles digestifs sont alors à surveiller de près. Il convient d'éviter une alimentation trop acide qui affecterait le système nerveux, occasionnant des crises d'asthme et autres problèmes de santé.

Il serait aussi souhaitable de faire des activités physiques douces, telles que yoga, méditation, taï-chi, et de pratiquer des sports qui offrent un excellent exutoire au stress et aux frustrations. Les massages s'avèrent aussi fort utiles pour la détente et la relaxation.

Les vitamines et suppléments sont extrêmement importants surtout les B_{12}, B_6, fer, iode et enzymes.

De 49 à 56 ans

Troubles hormonaux - ménopause - insécurité - incompréhensibilité

Durant cette période, la femme doit commencer à prendre grand soin d'elle. Certaines auront à faire face à des problèmes affectifs et relationnels. Cette période de la vie est bien souvent ponctuée de drames inévitables – décès, échec professionnel, séparation, échec affectif, etc. –, qui ont des effets néfastes sur l'organisme.

Le sport, l'exercice en plein air, la gymnastique douce, le yoga, le taï-chi sont essentiels pour se maintenir mince, alerte et en forme. On évitera cependant le surmenage et les sports trop violents qui pourraient causer d'autres problèmes.

Si la femme a eu, tout au long de sa vie, une mauvaise alimentation – notamment abus de gras, de sucre et d'excitants –, elle peut éprouver de sérieux problèmes de santé, bouffées de chaleur, ulcères, indigestions, troubles thyroïdiens, migraines, hypertension, varices, sclérose, excès de cholestérol, hypoglycémie, nervosité et fatigue, souvent accompagnés de sautes d'humeur.

Après, elle éprouve des difficultés à digérer et à assimiler le calcium. La femme se sent tantôt fatiguée, tantôt en pleine forme. Elle éprouve en alternance de l'anxiété et un bien-être total. Les changements hormonaux perturbent son caractère et la rendent nerveuse, insécure, désorientée, instable. Elle éprouve des difficultés de concentration et de mémoire. Elle est affectée par la sécheresse vaginale qui bien souvent engendre des problèmes dans ses relations sexuelles. Elle a pourtant un grand besoin d'affection, se sent très sensible et même angoissée. Tout ce stress et ces malaises produisent de grands dérèglements des systèmes digestif, hormonal et immunitaire.

La femme doit alors reprendre le contrôle de sa vie. Une attitude morale positive jointe à une saine alimentation l'aidera à retrouver un nouvel équilibre.

Si la femme a déjà des troubles de santé, elle sera d'autant plus affectée par ces changements physiques et par des chocs émotionnels violents – divorce, perte d'êtres chers, etc. C'est vers cet âge que la mélancolie, l'isolement, l'impression de perdre le contrôle de sa vie, la dépression, et pour certaines des tendances suicidaires peuvent faire leur apparition. Tous ces maux psychologiques sont bien souvent le foyer idéal pour le développement d'un cancer.

Une femme en bonne santé, qui se trouve dans le même contexte émotif, peut mieux se prendre en main et développer son autonomie pour faire face à ces situations. Elle entame une nouvelle vie, prend bien soin d'elle et s'élance pour prendre sa place dans le monde.

Bien souvent des conjoints du même groupe d'âge ne se trouvent pas sur la même longueur d'onde. Les changements hormonaux se vivent de façon différente pour chacun, ce qui entraîne des conflits au sein du couple.

Ces grands bouleversements émotifs sont souvent à l'origine de problèmes de santé: constipation, insomnie, angine de poitrine, sclérose, alcoolisme et même suicide. Un mode de vie sain et une attention aux signes précurseurs de ces troubles aident à franchir cette période de grandes transformations.

Conseils de santé pour la femme de 49 à 56 ans

À cet âge, la femme doit adopter une alimentation et pratiquer des exercices spécifiques pour réduire les risques inhérents à la sclérose et à l'arthrose.

Dans cette tranche d'âge, les problèmes de santé s'accroissent. On observe souvent insomnie, bouffées de chaleur, eczéma, stress, troubles nerveux, troubles prémenstruels, anémie, fibromes, troubles hormonaux, troubles digestifs, arthrite, arthrose, varices, diabète, engorgement du foie, excès de cholestérol, hypertension, ostéoporose, sclérose, insuffisance du système immunitaire, psoriasis et cancer.

Une saine alimentation, une vie équilibrée et sans abus amoindrissent les risques de rencontrer ces problèmes. Les suppléments de vitamines, B_5, B_6 et de minéraux, fer, B_{12}, iode, calcium, magnésium, et des enzymes digestives, chlorophylle, levure de bière, aident notamment la digestion, le sommeil et le système nerveux. L'exercice et le massage font aussi partie d'un mode de vie sain. Tous ces facteurs aident à freiner les effets du vieillissement, à maintenir l'équilibre hormonal, à garder la peau plus souple et plus hydratée, à prévenir la décalcification des os, le blanchissement des cheveux et aide l'élimination des toxines du foie et des reins surchargés.

Les femmes d'origine asiatique doivent porter une attention toute particulière aux suppléments vitaminés et à l'apport quotidien de calcium nécessaire, notamment pour la santé des gencives et la solidité des os.

À cette période plus qu'à tout autre, il est nécessaire de dire les choses telles qu'elles sont. Garder pour soi les frustrations, les non-dits, les envies et les besoins nuit considérablement à la santé physique et mentale. Généralement, les enfants ont quitté la maison. Le moment est venu de reconstruire avec son conjoint une nouvelle vie à deux. Une vie sociale, des sorties, des rencontres avec des amis et des gens fait aussi partie intégrante de l'art de vivre en santé.

Prêter attention à ses besoins peut prendre diverses formes. Penser à soi. Ne pas accumuler la fatigue. Garder ses petits-enfants quand on est en forme pour profiter de leur présence. Ne pas perdre de temps avec des gens constamment déprimés ou frustrés ou d'éternels pessimistes qui nous vident de notre énergie.

Une fois les transformations de la ménopause passées, une deuxième vie possible se présente. Avec un rythme de vie raisonnable, plusieurs troubles peuvent être évités ou dominés.

De 56 à 63 ans

Post-ménopause - calme - besoin de beaucoup d'affection et d'attention - peur de la vieillesse

Les femmes de cet âge ont besoin de faire de l'exercice et de prendre l'air tous les jours, afin de maintenir une bonne circulation sanguine et d'améliorer leur concentration. L'exercice physique est essentiel pour prévenir l'obésité et l'ostéoporose.

Les soucis d'une éventuelle retraite, l'insécurité financière qui pourrait en découler et la solitude, surtout pour les personnes divorcées, amènent alors un niveau important de stress. Le yoga, le taï-chi, la méditation s'avèrent des activités idéales pour se détendre.

La ménopause est passée et, avec elle, bien des petits maux.

Si la femme vit épanouie avec son conjoint, elle passe cette nouvelle tranche de vie sans trop de problèmes. Cependant, si la femme se retrouve seule et se fait du souci pour son avenir, elle risque de traverser une période de nervosité et d'anxiété, se traduisant par des troubles digestifs, qui affecteront sa santé tôt ou tard. Des troubles de thyroïde, hyper ou hypothyroïdie, et de poids sont alors à craindre.

Apparaissent aussi les premiers troubles de mémoire et de concentration. Le blanchissement des cheveux se fait plus apparent. La femme se fatigue plus rapidement et a tendance à vouloir faire moins d'activités. La digestion est plus lente et les dépôts d'acidité se concentrent dans le corps. Grippe, hypertension, hypercholestérolémie, peau sèche, sécheresse vaginale et déformation des os accompagnent souvent cette catégorie d'âge.

La femme qui s'est toujours bien nourrie et a toujours su prendre soin d'elle et de son corps parviendra à le conserver beau plus longtemps et se maintiendra en parfaite santé. La santé n'est pas une question d'âge ni de vieillissement. Nous ne pouvons échapper aux problèmes et aux transformations de l'âge, mais nous pouvons gérer nos habitudes de vie.

Une alimentation déséquilibrée affecte le système nerveux et occasionne des problèmes de santé: insomnie, déséquilibre hormonal, glandulaire et troubles de circulation.

Conseils de santé pour la femme de 56 à 63 ans

Maintenir une alimentation équilibrée, éviter les excitants et faire de l'exercice aide à prévenir les douleurs musculaires et le stress, et à réduire les risques de fibromyalgie, d'arthrose, de sclérose.

Avec l'âge, on digère moins bien et nos besoins en vitamines augmentent. Il est donc nécessaire de prendre chaque jour des vitamines, des minéraux, de la levure de bière, B_6, de l'iode, de la chlorophylle, des enzymes, de l'huile oméga 3-6-9, du ginkgo biloba, qui aident à la longévité et pallient les troubles de mémoire.

Les cancers du poumon et du foie sont assez fréquents à cet âge, à cause de la cigarette, des excès de table et d'une mauvaise alimentation.

Comme les femmes d'origine asiatique ont souvent des problèmes de déformation de la mâchoire, il est très important qu'elles prennent des suppléments de vitamines B et de minéraux, calcium, magnésium, fer, iode et de l'huile de foie de poisson.

De 63 à 70 ans

Spiritualité

L'équilibre et le calme sont essentiels à partir de cet âge. Le taï-chi, le yoga, le Qi-gong et la gymnastique douce sont des activités idéales pour maintenir cet équilibre et garder une bonne posture. Les promenades au grand air favorisent le calme et la méditation et entretiennent la vitalité.

À partir de 63 ans, la femme devient yang. Elle personnifie la sagesse, la robustesse et semble avoir atteint l'équilibre mental, physique et spirituel, harmonisant ainsi sa vie. Si elle doit refaire sa vie amoureuse, il faut faire attention à l'adaptation, parfois difficile, ce qui développe la nervosité à long terme.

Nourrie sainement, elle a une vie sociale active. Son alimentation lui facilite une meilleure concentration, une meilleure circulation et sa respiration se fait normalement.

Cependant, une femme qui ne s'est jamais souciée de sa santé éprouve plus de stress, de nervosité, d'insomnie, de constipation, et risque plus d'avoir des problèmes de santé, de concentration, des troubles de mémoire ainsi que des dépressions nerveuses, arthrose, ostéoporose, cataractes, glaucome, infections, maladies de dégénérescence, et même cancer, en particulier du foie, de l'estomac ou du côlon. Généralement, ces troubles sont accompagnés de mélancolie, de déprime et d'isolement volontaire.

Conseils de santé pour la femme de 63 à 70 ans

Il est important de surveiller les combinaisons alimentaires et d'apporter des suppléments de vitamines C, B, B_6, de minéraux, calcium, iode, enzymes, lécithine, chlorophylle, de levure de bière et d'huile oméga 3-6-9.

Il est préférable de prendre des repas plus légers, à base de céréales, légumes, tofu, poulet, poisson et d'éviter les fritures.

De 70 à 80 ans

Sagesse - attention aux carences en minéraux

La femme de cet âge vit en paix avec elle-même. Sûre d'elle, elle a une attitude plus saine et plus spirituelle. À cet âge, il est essentiel de faire de l'exercice de souplesse comme du yoga, du taï-chi et de la gymnastique afin de prévenir l'ostéoporose et de favoriser une meilleure posture.

Comme la digestion est beaucoup plus lente, il importe de choisir des combinaisons alimentaires faciles. Prendre des repas légers pris plusieurs fois par jour facilite le travail du système digestif.

Une alimentation sans gras ajouté, sans sel et sans sucre, maintient la vigueur de la mémoire.

Il faut éviter la constipation et l'insomnie qui sont reliées aux problèmes de santé dans l'avenir.

De 80 à 100 ans

L'exercice en plein air entretient la vitalité et la vivacité à tout âge. L'oxygénation prévient les infections pulmonaires, favorise une meilleure circulation et purifie le sang. Il faut faire très attention aux maladies infectieuses, qui réduisent l'efficacité du système immunitaire. Pour les personnes âgées, l'air sec et la chaleur sont préférables. Il vaut évidemment mieux vivre à la campagne ou à la montagne qu'en ville.

Une mauvaises alimentation ou des combinaisons alimentaires difficiles se soldent souvent par le cancer de l'estomac, du côlon ou du foie, l'ostéoporose, le glaucome, les cataractes, la maladie d'Alzheimer.

Pour bien vivre encore longtemps, une saine alimentation reste nécessaire. Éviter les aliments trop riches, les pâtes alimentaires, le sucre, la caféine, l'alcool et le tabac favorise une vie longue et active.

Conseils de santé pour la femme de 70 à 100 ans

Ajouter à une saine alimentation des vitamines dont C, B, de la levure de bière, des enzymes digestives, de la chlorophylle, des minéraux, iode, calcium, du magnésium, gingko biloba, d'huile oméga 3-6-9, de la lécithine, qui jouent un rôle essentiel pour l'entretien de la mémoire et la calcification des os.

LE DÉVELOPPEMENT ET LA SANTÉ DE L'HOMME DE L'ENFANCE À LA VIEILLESSE

De 0 à 2 ans

La croissance de bébé, garçon ou fille, est semblable jusqu'à l'âge de deux ans (voir page 32).

De 2 à 8 ans

À cet âge, le jeune garçon, bien que semblable à la fillette, est plus fort physiquement. Il est généralement actif, débrouillard, réservé, calme, volontaire, indépendant, curieux et timide. L'amour et l'affection de ses deux parents sont essentiels à son développement.

Une alimentation trop riche en sucre, en gras animal, en aliments en conserve, aura de graves conséquences sur ses dents et entraînera des problèmes digestifs et probablement des irruptions cutanées et des maladies d'«enfance». Il est important de surveiller son alimentation et sa courbe de croissance.

Les enfants de parents séparés dans la tension à cet âge manifestent souvent des troubles affectifs, peur et insécurité reliés au manque d'affection.

Conseils de santé pour le garçon de 2 à 8 ans

L'alimentation doit être supplémentée de minéraux, notamment de calcium, de vitamine C, d'huile de foie de morue et de levure de bière.

Prêter une attention toute particulière aux problèmes de santé: insomnie, pipi au lit (énurésie), maux de tête, nausées, maux d'oreilles, manque d'appétit et cauchemars fréquents.

L'initiation au sport, surtout en plein air, favorise une bonne croissance et crée un juste équilibre entre le repos et l'activité physique. Cet équilibre rendra l'enfant plus fort physiquement et émotionnellement.

Les démonstrations affectives envers les enfants s'avèrent bénéfiques et ont des retombées importantes pour l'avenir.

De 8 à 16 ans

Croissance hormonale - beaucoup de volonté et d'affection

À cet âge, le garçon entre dans une période difficile, tant pour lui-même que pour ses parents, sa famille. La préadolescence et l'adolescence sont bien souvent synonymes de conflit et d'incompréhension. Le sport peut jouer un rôle important pour désamorcer certaines situations de crise et de frustration.

Entre 8 et 13 ans, le jeune garçon perd ses dents de lait. Une saine alimentation est importante pour la formation de ses futures dents. Le garçon de cet âge est plutôt ambitieux, curieux, actif. Il commence à devenir plus indépendant. Il est temps de lui enseigner les responsabilités par divers petits travaux à effectuer à la maison, tels que faire son lit, laver et ranger la vaisselle, faire sa chambre, nettoyer le jardin, etc. Il est nécessaire d'encourager l'enfant et de le guider dans ses choix. Il a besoin de sentir que ses parents sont présents, et l'autorité parentale ne peut lui être que bénéfique, même s'il la conteste.

Le garçon peut chercher à se soustraire à cette influence, surtout s'il est mal entouré. L'envie de suivre ses amis dans les restos minute le tenaillera. Le parent devra se montrer vigilant et persévérant pour lui faire comprendre les retombées bénéfiques d'une saine alimentation.

Si l'enfant vit mal la séparation de ses parents, il le manifestera par des changements brusques de caractère. L'insécurité et l'abandon peuvent engendrer un complexe d'infériorité chez le jeune. Il est important pour les parents d'être attentifs à ce genre de situation, car elle peut avoir des répercussions dans sa vie sociale et ses études.

En plus d'une saine alimentation complétée de vitamines et de minéraux, notamment calcium et iode, l'activité physique est essentielle à la croissance et aide le jeune garçon à combattre le stress. Si l'enfant est trop sensible et son système nerveux fragile, ajouter à son alimentation des protéines, des céréales, de l'huile de foie de poisson et de la levure de bière. Surveiller de près les problèmes de constipation et de diarrhée.

À partir de 11 ans, le système respiratoire de l'enfant devient plus fragile, surtout si l'enfant est plus grand et plus mince que la moyenne de son âge. L'asthme est bien souvent dû à la tension nerveuse. Les problèmes familiaux ont des conséquences graves sur le développement de l'enfant. Même si le garçon est souvent plus fort moralement que la fille du même âge, il est important de veiller aux besoins moraux, mentaux et spirituels du garçon.

Une alimentation uniquement composée de pâtes alimentaires, de sucre, de gâteaux et de boissons gazéifiées engendre bien souvent de l'hyperactivité. À plus long terme, ce menu peut provoquer une dégénérescence du pancréas et des problèmes de poids, du diabète et même des risques de cancer.

De 13 à 16 ans, le jeune adolescent est souvent très sportif. C'est aussi la période des essais, bons et moins bons. Il entreprend la découverte de la vie et de ses nuances. Le jeune commence à tester ses propres limites et celles de ses parents. C'est une période où les défis et le goût du risque l'attirent. L'alcool et les drogues se présentent à lui comme un nouveau monde à découvrir ou comme une solution facile à ses problèmes.

Une saine alimentation et un mode de vie équilibré peuvent s'avérer efficaces pour prévenir ces problèmes. Les bouleversements hormonaux que le garçon vit déséquilibrent quelque peu son système nerveux. La force physique du garçon est au même niveau que celle de la jeune fille.

Le jeune homme entre dans une période où il s'affirme davantage. Il devient plus «ingrat», plus incontrôlable, parfois menteur et entêté. Il cherche à attirer l'attention, surtout celle des filles, envers qui son intérêt sexuel se développe. Son corps subit des changements importants: les poils se mettent à pousser, sa production de sperme se met en route, ses muscles et ses os se développent et sa voix mue. Il se sent devenir un homme, un adulte, et réclame donc plus d'indépendance. Ses sentiments sont ambivalents; tantôt il se comporte en adulte et, un instant plus tard, il redevient un enfant.

C'est la période où la communication et la compréhension sont plus difficiles entre parents et enfants. Il est important de maintenir le contact avec l'adolescent, même si cela paraît impossible, afin d'éviter que les conflits ne dégénèrent. Il vaut mieux que l'enfant réponde en maugréant, que de ne rien dire de ce qu'il est en train de vivre. C'est bien souvent durant cette période que les adolescents brisent les liens familiaux pour se retrouver dans la rue. Les amis ont plus d'influence que les parents.

Il ne faut pas tenter d'imposer nos préférences quant aux meilleurs choix dans ses fréquentations: il est à parier qu'il ne suivra pas ces conseils. Les relations père-fils sont importantes. En pratiquant un sport avec son adolescent, le père et le fils se rapprochent, et le jeune n'a pas l'impression qu'on cherche à contrôler sa vie.

Conseils de santé pour le garçon de 8 à 16 ans

L'activité physique jointe à une alimentation équilibrée permet à l'adolescent de mieux maîtriser son stress et son agressivité.

Il est préférable d'éviter fritures, pâtes alimentaires, sauces, fromage, sucre, boissons gazéifiées, caféine, épices, alcool, tabac et, bien entendu, la drogue. Ces stimulants entraînent de l'acné, de la fatigue chronique et de l'anémie.

Il est important de surveiller sa digestion, de prévenir la diarrhée et la constipation, qui peuvent affecter le système nerveux.

Il est recommandé de lui donner des suppléments de vitamines et de minéraux, calcium, magnésium, iode, huile de foie de poisson.

Un garçon ayant une mauvaise alimentation et menant une vie désordonnée aura un système hormonal déséquilibré. Il manifestera des troubles nerveux, deviendra plus agressif, aura des troubles de comportement, provoquera des problèmes de communication dans sa famille et pourrait commettre des gestes délinquants.

Il est important que les parents surveillent de près l'éducation que reçoivent les enfants à l'école, mais aussi à la maison, et limitent sans les interdire la durée et la quantité des films violents.

De 16 à 24 ans

En pleine croissance hormonale - beaucoup de volonté et d'engagement, plein d'énergie.

Le jeune homme de cet âge favorise bien souvent le sport, laissant de côté les jeunes femmes pour quelque temps. C'est la période où la santé et la forme sont au mieux.

De 16 à 18 ans, le jeune homme intérieurement complexé souhaite être le meilleur. S'il est sportif, il vise le championnat. C'est une période difficile. En amour, il est passionné, mais possessif. Vulnérable, il supporte difficilement les échecs, surtout amoureux. Ce jeune adulte a du mal à se comprendre lui-même. Il se cherche et réclame silencieusement – il faut savoir le percevoir – de la tendresse, de l'affection, un soutien moral, physique et spirituel.

Bien qu'il n'en laisse rien paraître, il supporte difficilement les drames tels que divorce, conflits familiaux, mortalité, etc. Il a besoin de sentir la force et la présence de son père. S'il se sent abandonné et non apprécié, son équilibre nerveux en sera affecté. Les solutions qui se présentent alors à lui sont la drogue, l'alcool et une vie désorganisée – nuits blanches, fréquentations douteuses, errance dans les rues, délinquance et, pour certains, le suicide.

Jusqu'à 20 ans, le jeune homme demeure activement très dépendant de son père et de sa mère. Les liens qui les unissent sont cependant très fragiles et peuvent se rompre en tout temps pour un simple malentendu. Pendant quelques années encore, le garçon maintient des liens privilégiés avec sa mère, qui a une grande influence sur lui, avant de se dégager de son emprise maternelle.

C'est aussi une période où les jeunes désirent partir et acquérir plus d'indépendance et où certains quittent le foyer familial. Poursuivant leurs études, ils entreprennent bien souvent de travailler en même temps. Les deux activités peuvent bien souvent s'avérer incompatibles.

De 16 à 20 ans, le jeune homme est resplendissant, son corps est bien proportionné et en forme. Il est indépendant, audacieux, curieux, persévérant, volontaire, égoïste, orgueilleux et bien souvent «ingrat». Il est socialement et sexuellement actif. C'est un romantique dans l'âme et il peut se montrer très affectueux.

Conseils de santé pour le jeune homme de 16 à 24 ans

Il est important à cet âge de surveiller son comportement, ses émotions, son maintien corporel, son sommeil et ses dents. Il doit faire lui-même attention à son mode de vie. Ses parents lui prodigueront des conseils avec doigté. Évidemment, il ne suivra pas les conseils, mais il y réfléchira.

Il importe de poursuivre une saine alimentation pour prévenir des troubles de santé comme digestion, constipation, diarrhée, colite, et de beauté, cernes sous les yeux (fatigue accumulée) acné et eczéma.

On doit prêter une attention toute particulière aux dépressions et à l'isolement volontaire, qui peuvent cacher des tendances suicidaires. Si le jeune subit une déception amoureuse, on doit redoubler de vigilance.

Les drogues et l'alcool peuvent lui causer des préjudices considérables, qui laisseront des traces tant psychologiques que physiques pour le reste de sa vie.

Il convient d'ajouter à son alimentation des vitamines et des minéraux, surtout calcium et iode, qui l'aideront à maintenir son état général de santé.

Entre 21 et 24 ans, le jeune homme est au sommet de sa forme physique. Conscient de ses prouesses, il pousse quelquefois un peu trop loin la machine, courant ainsi de plus grands risques d'accidents, de chutes qui peuvent se révéler graves. C'est aussi la période où une carrière se présente à lui. Il est en grande forme et se sent prêt à conquérir le monde.

Par contre, s'il se trouve devant rien et qu'aucune possibilité ne s'offre à lui, son mal de vivre se manifestera par des troubles physiques et surtout psychologiques. Son système digestif deviendra plus sensible et il souffrira de constipation, qui affectera à son tour son système immunitaire. Des risques de fatigue chronique et de mononucléose sont à prévoir.

Vaut mieux prévenir pendant qu'il est jeune. Ne pas laisser traîner trop longtemps les problèmes digestifs – ballonnements, gaz, constipation, diarrhée ou colite. S'ils ne sont pas soignés à temps, ces dérèglements entraînent d'autres problèmes plus importants, comme l'anémie, la mononucléose ou même la leucémie, le cancer des ganglions, etc. L'eczéma et le psoriasis sont des maux fréquents découlant du stress et d'une mauvaise nutrition.

De 24 à 32 ans

L'homme de cette tranche d'âge a l'impression d'être invulnérable. Il est orgueilleux, passionné et fier de sa personne. Il doit cependant faire attention aux excès dans le sport et se montrer vigilant pour éviter tout accident.

C'est une période où les abus sont fréquents et où les tendances à l'alcoolisme sont à surveiller. Le sport est essentiel pour maintenir le corps et l'esprit en harmonie. C'est l'âge où le corps est beau et les muscles, fermes.

L'activité physique et sexuelle sont à leur maximum. C'est une période riche d'espoir, de volonté et de rêves. Le jeune homme a confiance en lui et en ses moyens. Il a une vie sociale très développée et rien ne semble l'arrêter. Il fourmille d'idées et se sent prêt à relever tous les défis. Il est ambitieux et veut ce qu'il y a de meilleur. Responsable, il commence à envisager une vie de famille.

Des excès en drogue et en alcool auront pour conséquence, à court ou moyen terme, de détruire sa vie professionnelle et familiale. Il doit aussi faire attention au surplus de poids.

Les échecs sont très mal acceptés et occasionnent beaucoup de problèmes, tant pour la vie familiale que pour la santé. Le stress et les problèmes de digestion sont à prévoir. Des changements brusques de caractère et la perte de contrôle de soi font aussi partie de ces troubles. Insomnie, perte de cheveux, nervosité, hémorroïdes, ulcères d'estomac, hernies à l'estomac, hypoglycémie, eczéma, colites, psoriasis, asthme et même cancer des ganglions sont reliés directement à ces troubles émotionnels.

Face à l'effondrement de sa vie, le jeune homme désirera se retirer, s'éloigner de ses proches. Cet isolement doublé de ses problèmes de santé peuvent l'entraîner à la schizophrénie. Il est très important de détecter les signes avant-coureurs de ces troubles.

Pour avoir plus de contrôle sur sa vie, il est nécessaire d'éviter les drogues, l'alcool et les situations pouvant entraîner ces excès, comme les sorties dans les bars, les nuits blanches. Avoir une saine alimentation supplémentée par des vitamines et des minéraux, iode, calcium et fer, et faire de l'exercice physique aide à maintenir son équilibre de vie.

De 32 à 40 ans

Les petits signes avant-coureurs de vieillissement du corps commencent à apparaître: rides, cernes, grisonnement et perte des cheveux, baisse d'énergie.

L'homme de cet âge a plus de maturité, davantage d'assurance. Il est plus stable et a une conception de la vie un peu moins romanesque. Il est plus réaliste et a un meilleur contrôle de sa vie et de lui-même. C'est un âge où il souhaite consolider ses assises pour sa vie future. Il est en plein contrôle de ses moyens et de son esprit.

C'est un homme de caractère, orgueilleux et possessif. Dans le cas contraire, une séparation viendra déséquilibrer sa force intérieure, le rendant sensible et plus faible.

Si l'homme a un caractère difficile, il devra faire attention de ne pas choisir une femme trop jeune, car tôt ou tard de nombreux problèmes de communication viendront bouleverser leur couple, entraînant des troubles de santé.

Le sport est essentiel à tout âge, il aide à contrôler le surplus de poids, le stress et à maintenir un certain équilibre intérieur. Communs à toutes les tranches d'âge, l'amour et l'affection sont aussi importants pour cet homme pourtant très indépendant. C'est une période où la femme a tendance à s'occuper un peu plus de ses enfants que de son mari et il en souffre sans se plaindre.

Les excès accumulés et le surmenage se manifestent par des problèmes de santé: nervosité, insomnie, colites, chute des cheveux, eczéma, hernies hiatales ou discales, stress et hypoglycémie. Prévenir la constipation reste un problème sérieux. (Nous devons aller à la selle 1 à 3 fois par jour.)

Il est recommandé de surveiller les combinaisons alimentaires et de prendre des suppléments de vitamines et de minéraux, notamment de calcium et d'iode. Le ginseng aide à prévenir la fatigue physique et mentale. Les massages quotidiens sont excellents pour aider à se détendre.

De 40 à 48 ans

Début des troubles hormonaux

L'homme de cet âge doit se maintenir en forme et évacuer son stress par la méditation, le yoga, etc.

À cette étape, des troubles digestifs commencent à se manifester de temps à autre. L'alcool ne doit pas faire l'objet d'abus, car les risques de cancer du foie sont importants.

Surveiller tout surplus de poids et les changements brusques de caractère dus à une mauvaise alimentation. S'il arrête de fumer, pour éviter de prendre du poids, il est important de prendre des vitamines appropriées. Le stress, la pollution, les problèmes personnels – rupture, décès, etc. – et une mauvaise nutrition peuvent engendrer des scléroses.

C'est la fin du premier cycle de la vie chez l'homme. Les cernes et les rides sont plus présents, les cheveux blanchissent, les dents sont plus fragiles et les caries plus fréquentes. L'homme de cet âge ressent davantage la fatigue. Il digère moins vite et devient très sensible aux plats trop riches, aux abus d'alcool et à l'acidité, qui provoquent des gaz et des ballonnements, qui affectent à leur tour le sommeil et le caractère.

Le massage devient essentiel pour décompresser, chasser le stress et permettre au corps de se détendre.

À partir de 42 ans, l'homme qui boit, prend de la drogue ou abuse de stimulants comme le café peut se trouver sur la corde raide. Ce genre de vie finit par s'écrouler entraînant dans sa chute sa vie professionnelle, sa vie familiale, son couple s'il est déjà instable et sa santé si elle est précaire.

Si le système nerveux et le système digestif sont grandement atteints, cela aura des répercussions directes sur le système immunitaire. Ce n'est que par une saine alimentation et un mode de vie équilibré que sa situation peut se stabiliser. Il n'est pas facile de rétablir une santé hypothéquée, surtout lorsque le système digestif est déjà fatigué par un choix peu judicieux d'alimentation et des combinaisons alimentaires difficiles.

Les massages permettent au corps de se détendre. Il sera essentiel de prendre des vitamines, notamment B_5, B_6, C, E, complexe B, et des minéraux, dont le calcium et l'iode, de la levure de bière, des enzymes digestives et de la chlorophylle (favorable à la digestion et à la régénération des organes).

Les premiers signes d'andropause apparaissent vers 45 à 48 ans. Les troubles qui y sont reliés sont les mêmes que ceux de la femme lors de la ménopause.

Il est fréquent de voir des hommes de cet âge cesser toutes activités sportives uniquement parce qu'ils ressentent certains troubles de santé. La pratique du sport est nécessaire pour entretenir les systèmes cardiovasculaire et musculaire et diminuer le stress. Sans activité physique vigoureuse, certains troubles reliés au système nerveux apparaissent: fragilité, sensibilité, insécurité, panique, manque de vigueur, peur, etc.

À l'andropause, la production d'hormones mâles est bien souvent plus élevée, engendrant des déséquilibres et des émotions parfois contradictoires.

Des problèmes de santé – indigestion, stress, migraine, hypertension, angine, chute de cheveux, fatigue chronique, mauvaise circulation, arthrite, arthrose et même crise cardiaque sont alors à craindre. Ces complications peuvent dégénérer en hypoglycémie, sclérose en plaques, hypercholestérolémie, problèmes psychiques et même cancer. Des complications de la prostate sont à craindre, souvent associées aux troubles hormonaux.

Équilibrer l'alimentation, harmoniser le mode de vie et éviter les excès font partie d'une combinaison gagnante. Il est nécessaire d'ajouter à l'alimentation des suppléments, des minéraux, calcium, iode, des vitamines B_5, B_6, antioxydants, des enzymes et de la chlorophylle pour favoriser une meilleure digestion.

Les massages et le sport aident à résorber le stress et l'anxiété. La tisane remplace le café.

De 48 à 56 ans

Andropause - troubles hormonaux

À cet âge, il est important de continuer le sport en douceur pour maintenir la musculature et l'ossature solides et souples. Le poids est à surveiller de près, surtout si on cesse toutes les activités sportives.

Le massage de la tête, des pieds et du dos est essentiel pour la détente.

La vie à cet âge est souvent ponctué de malheurs, ruptures, décès, maladie, etc., qui ont des effets nocifs sur la santé. C'est aussi une période où bien des hommes se remarient et, pour la plupart, avec des femmes beaucoup plus jeunes qu'eux. Cette différence d'âge peut générer de sérieux conflits.

Le yoga et la méditation permettent de mieux contrôler le stress et de maintenir un niveau spirituel et moral plus élevé.

De 48 à 53 ans, une mauvaise alimentation jointe au stress peut souvent entraîner l'impuissance sexuelle. La maladie de Parkinson, souvent due à une accumulation de stress mental et à une baisse importante de défense du système immunitaire, peut apparaître.

Pour combattre le stress, un massage quotidien avec des techniques de réflexologie fait le plus grand bien. L'homme traverse alors l'andropause. Durant cette période critique, sa sensibilité est mise à rude épreuve. Sa situation professionnelle et familiale joue un rôle important dans la façon dont il vivra ses problèmes. S'il traverse une période de crise, tant dans son travail qu'à la maison, cela affectera son système nerveux, son sommeil et donc sa santé.

L'andropause marque le tournant d'une nouvelle vie. Le corps se transforme et des troubles de santé apparaissent. Les cheveux blanchissent un peu plus ou tombent. Les changements hormonaux affectent le comportement, le caractère et les besoins affectifs. L'homme traverse des périodes d'incertitude et peut, durant cette période, remettre sa vie en question, tout foutre en l'air pour se sentir plus proche de la jeunesse, qui l'attire beaucoup. Ce retour d'âge peut avoir des conséquences graves sur la famille et le couple.

Une fois sa période d'andropause terminée, il réalise ses erreurs de jugement. Il cherche alors souvent à réintégrer sa famille. Après avoir traversé cette période difficile, l'homme éprouve quelquefois l'envie de rentrer chez lui, mais ne le fait pas, trouvant ce retour humiliant. Ce moment difficile à passer rend l'homme très malheureux, affecte son système nerveux et occasionne des troubles de digestion. Ces contrariétés provoquent bien souvent un vieillissement précoce. Les rides, le blanchissement des cheveux, la calvitie, la dépression ou la maladie sont à craindre. Même son maintien en sera affecté.

L'andropause n'est pas synonyme de malheur. Bien que ces transformations engendrent certains conflits conjugaux et familiaux, l'homme peut se sentir libéré de voir sa vie prendre un nouveau départ, après de nombreuses années de frustration.

Durant cette période, la fatigue chronique se manifeste. En plus de subir du stress, l'homme montre des signes d'impatience et est plus colérique. Sa digestion ralentit, lui cause quelques malaises. Il aura des migraines, souffrira d'hypertension et d'angoisse. Son système immunitaire étant plus faible, il sera plus prédisposé aux infections.

Les effets de l'andropause peuvent être amoindris par une saine alimentation. L'alimentation trop riche et déséquilibrée font sentir leurs effets: embonpoint, problèmes cardiaques, hypercholestérolémie, migraines, hypertension, sclérose et même cancer. C'est la tranche d'âge la plus sensible aux problèmes de santé. Il est grand temps de prendre conscience de son corps et de ses fonctions.

Il est important d'aider le système digestif, le foie et les reins dans leur fonctionnement en choisissant une nourriture saine et en faisant attention aux combinaisons alimentaires.

Le sentiment d'échec risque d'être accentué durant cette période, occasionnant déceptions, déprimes et tensions. Des syndromes comme le diabète, l'hypoglycémie ou des troubles de la prostate peuvent alors se manifester.

Le sport, les massages et l'exercice physique restent essentiels pour maintenir son corps en bonne santé et prévenir les surplus de poids.

Remarque

Il n'est pas rare de voir un homme dans la cinquantaine, célibataire, professionnel et ayant un mode de vie pour le moins décousu, décider de se marier subitement pour ne plus rester seul et pour avoir aussitôt des enfants. Cette urgente et pressante envie l'amène souvent à choisir une femme beaucoup plus jeune.

Ce choix représente la jeunesse éternelle. Cette bonne intention se solde fréquemment par un échec après quelques années. Très vite, la différence d'âge se fait sentir dans le couple. La différence d'âge idéale pour qu'un couple vive dans l'harmonie et la coopération est d'environ cinq ans.

Le caractère, la sexualité, la différence d'âge, le mode de vie et de pensée creusent inexorablement un fossé qui finit par devenir infranchissable. Ces tensions et ce stress engendrent bien souvent des problèmes de santé.

La sagesse consiste à canaliser ses émotions lorsque le caractère est trop bouillant. Cette force s'acquiert par une vie spirituelle. Ainsi l'homme qui a une vie spirituelle et qui, en plus, soigne son alimentation, fait du sport et pratique la détente parviendra à réussir sa vie physique et émotionnelle.

Les vitamines et les minéraux sont extrêmement importants, même nécessaires.

De 53 à 56 ans

C'est encore la période de l'andropause. En avançant en âge, l'homme devient cependant moins nerveux, plus réfléchi, plus patient et plus serein. Le sport et le massage demeurent importants pour maintenir un sain équilibre entre son mental, son moral et son corps. Les réconciliations de couples séparés sont envisageables, mais ne se font pas sans difficultés. Si le caractère de l'homme a changé, il en va de même pour la femme!

Le stress, les abus d'excitants, et une alimentation peu nutritive entraînent des troubles de santé, qui ont des répercussions sur la vie professionnelle et peuvent engendrer des problèmes d'impuissance.

À cet âge, l'homme vit plus difficilement les problèmes reliés à son travail. Bien souvent, il gère ses soucis sans en parler à quiconque et ainsi il ajoute à son stress et mine sa santé.

Ces tensions affectent son équilibre psychologique et entraînent des troubles physiques comme digestion difficile, asthme, eczéma, arthrose, hypertension, angine et diabète.

Une saine alimentation accompagnée de vitamines et de minéraux accroît sa force immunitaire, prévient les troubles reliés à l'andropause et les complications qui peuvent en découler. Le ginseng aide à maintenir l'énergie. Un équilibre familial et professionnel allié à un mode de vie sain procure une longévité du corps et de l'esprit.

Pour ceux qui subissent des changements de vie, désirés ou non, cette nouvelle adaptation demande beaucoup de courage. Ce stress peut alors provoquer des troubles du cœur, de la prostate ou un cancer. Un équilibre intellectuel jumelé à un bon équilibre alimentaire aide à franchir ces changements sans problème et sans tension. Une fois ce tournant franchi, les événements ne peuvent qu'aller en s'améliorant. L'énergie harmonieuse qui émane de cet homme ne peut lui attirer que des bonnes choses. Une nouvelle vie, remplie et satisfaisante, se présente.

Il faut faire attention au surmenage qui occasionne bien souvent de l'anxiété, des grippes à répétition ou même à des troubles de Parkinson.

De 56 à 64 ans

Obésité – troubles de la prostate et stress

La dure période de l'andropause étant terminée, c'est un homme équilibré, compréhensif, réaliste, stable et serein qui s'apprête à prendre sa retraite et à profiter de son rôle de grand-père. Les durs moments sont derrière lui et il s'efforce de considérer les événements passés avec sagesse. Il est plus préoccupé par sa santé physique et spirituelle.

Il doit maintenir ses activités physiques et sociales, continuer à faire attention à son alimentation, éviter le surmenage et le stress. Le sommeil est plus fragile, la force tend à s'amoindrir et la digestion se fait plus lente. Les cheveux continuent de blanchir et les rides à marquer son corps. Le ventre se fait un peu plus rond. Des douleurs aux articulations commencent à se faire sentir.

L'homme qui a voulu rester seul affiche un mauvais caractère, souffre de maladies diverses. Il peut envisager une vie plus clémente. Les troubles de santé diminuent.

Pour certains, l'approche de la retraite équivaut à plaisir et bonheur. Cet homme en harmonie avec la nature et avec lui-même est moins anxieux et vit en paix. La sagesse remplace l'esprit fougueux. C'est un bon grand-père.

Si, par contre, il ne choisit pas ce qu'il mange, des problèmes de mémoire, de concentration, d'hypocondrie, de paranoïa (légère) sont à craindre.

L'activité physique maintient son corps en bonne santé, sa circulation active et contrôle le surplus de poids. Attention aux cancers des poumons et du foie causés principalement par l'usage du tabac et d'alcool!

Celui qui subit des bouleversements dans sa vie affective ressent les effets de ces épreuves directement sur sa santé. Les conséquences affectent la concentration, la fatigue et le travail.

Il devient important de surveiller de près son alimentation et les combinaisons alimentaires afin de ne pas surcharger le foie et les reins. Le taux de cholestérol, de triglycérides, l'hypertension, les crises de foie, les maladies cardiovasculaires, les angines de poitrine, les infarctus, les scléroses, la maladie de Parkinson, les problèmes de la prostate, le stress et le cancer sont à redouter.

Il est conseillé de prendre des vitamines B, C, E, des minéraux, calcium, iode et autres, du ginseng, des enzymes, de la chlorophylle, de la levure de bière et de l'huile oméga 3-6-9.

De 64 à 75 ans

Sagesse – troubles de la prostate et stress –
troubles de la circulation

> *Celui qui sème la santé récolte un bon physique,*
> *un bon mental et un bon moral.*

Un corps en bonne santé est synonyme de longévité.

À partir de 64 ans, l'homme devient yin. Il a besoin de plus d'exercice physique en plein air. Le taï-chi, le yoga, la méditation et la gymnastique douce sont d'excellentes techniques de relaxation et de maintien pour la santé physique.

L'homme de cet âge est soit en santé soit malade. Soit il est apprécié pour sa sagesse soit il est cité comme mauvais exemple par ceux qui l'entourent. Son caractère est bon ou mauvais, selon sa santé.

S'il est en bonne santé, c'est un homme intéressé et friand de découvertes qui poursuit des activités sociales. Il s'intéresse à sa santé, profite de ce que la nature lui donne et vit sereinement. C'est un homme heureux qui profite de la vie pleinement.

Par contre, entre 65 et 70 ans, si son alimentation laisse à désirer, des troubles digestifs viendront affecter sa vie. Il devient anxieux et se mettra à douter, même de ses amis. Il ne tarde pas à se replier sur lui-même afin de contrer l'isolement.

Une alimentation moins grasse et l'élimination des excitants aideront à prévenir une mauvaise circulation, des troubles de mémoire ainsi qu'infarctus, arthrose, troubles de concentration, maladie d'Alzheimer et cancer, qui se développent progressivement et font davantage leur apparition vers les 75 à 80 ans.

Le système digestif devient très vulnérable, surtout aux aliments gras, épicés et stimulants. L'accumulation de ces gras dans les artères perturbent beaucoup la circulation et le système nerveux. Il importe d'éviter les aliments trop acides, les mauvais mélanges, les plats en sauce, les mets trop sucrés et trop épicés.

L'alimentation et les combinaisons alimentaires sont à surveiller, et les repas doivent être présentés sous forme plutôt liquide et en petites quantités. Les exercices en plein air sont conseillés. Il est préférable de prendre des vitamines, principalement B, C et E, des minéraux, dont le calcium, du ginseng, des enzymes et de la chlorophylle, de la levure de bière, du gingko biloba, Co Q_{10}. Le massage est recommandé pour favoriser la circulation, la détente et pour soulager les maux de dos.

Entre 75 et 85 ans, l'homme doit prêter une attention toute particulière aux troubles respiratoires – grippe, bronchite, pneumonie, etc. Il est préférable d'arrêter de fumer pour écarter tous risques de cancer ou d'autres problèmes reliés à l'usage du tabac.

L'arthrose et l'ostéoporose sont très présents chez les hommes de 80 ans et plus. L'huile oméga 3-6-9 est importante ainsi que les vitamines et les minéraux.

CHAPITRE 3

LE STRESS ET LA SANTÉ

....

LA SURPOPULATION ET LE STRESS

*L*es maladies dégénératives comme les troubles digestifs, les troubles mentaux, les problèmes cardiovasculaires et les cancers sont de plus en plus fréquents dans nos sociétés modernes et ce, à l'échelle planétaire.

Nous sommes aujourd'hui plus de 6 milliards d'habitants sur Terre. Cette surpopulation appauvrit de plus en plus les ressources naturelles, pourtant si essentielles à l'homme.

Pour pallier ces insuffisances, on explore de nouvelles technologies et de nouvelles ressources; on détruit ainsi un peu plus chaque jour notre propre environnement. Ces nouveaux développements technologiques et biologiques apporteront-ils des solutions aux besoins toujours exponentiels de l'humanité en ce début du XXIᵉ siècle?

Pourra-t-on développer assez de résistance aux nouveaux virus qui se développent sans cesse? Les populations mondiales ont depuis toujours subi les épidémies, les maladies et les problèmes associés aux catastrophes naturelles. Aujourd'hui, le système immunitaire humain affaibli doit en plus faire face aux attaques sournoises – car invisibles – de la pollution. De plus, l'homme baigne chaque jour dans un bassin de bactéries, de microbes et de virus à cause d'une trop grande promiscuité dans les villes.

Notre santé est en danger et nous n'avons, pour le moment, pas les moyens techniques pour contrer cette dégénérescence. Les nouvelles maladies apparaissent plus rapidement que les médicaments, et les vaccins ne sont pas découverts pour les contrer.

Les antibiotiques distribués systématiquement, les aliments irradiés ou transgéniques seraient-ils une cause directe de nos futurs problèmes de santé? À quoi ressemblera la vie de nos enfants, sans un système immunitaire sain pour les défendre?

Les problèmes de santé sont plus fréquents dans les grandes villes. La surpopulation occasionne beaucoup de complications de santé. Bien des malaises sont liés à la pollution causée par l'automobile. Dans certaines villes, bien des gens sont obligés de porter un masque.

Cette surpopulation urbaine engendre d'autres complications reliées au manque d'hygiène. De fait, la propagation des maladies transmissibles est pratiquement incontrôlable. Ces problèmes génèrent beaucoup de stress, suscitent de grands troubles du système nerveux et affaiblissent encore plus le système immunitaire.

Une pression sanguine trop élevée, un excès de poids, un taux élevé de sucre dans le sang sont des symptômes d'une détérioration des vaisseaux sanguins. Toutes ces caractéristiques sont indissociables du stress et favorisent les maladies cardiovasculaires et le cancer.

La pollution de l'air, le tabac et l'alcool entraînent l'accumulation de toxines dans le sang, endommagent la mémoire et entraînent un vieillissement précoce.

LE SYSTÈME NERVEUX

C'est le système nerveux qui contrôle les sentiments. Un système nerveux sain favorise le développement du caractère. Ainsi, une personne ayant un système nerveux plus faible subit les influences extérieures et a davantage tendance à se soumettre aux autres. Cet affaiblissement nerveux réduit la capacité de contrôle de soi et appauvrit l'état mental.

L'excès d'alcool, de caféine, de drogues et de tabac peut endommager gravement le système nerveux et influencer la vie d'une personne. Le stress devient alors inévitable et on peut devenir sujet à l'insécurité, à l'anxiété, à la fatigue, à l'hypersensibilité, à l'insomnie, à la peur, à la paranoïa, etc.

LE SYSTÈME NERVEUX ET L'ÉQUILIBRE ÉMOTIF

Le développement harmonieux de notre être physique favorise celui de notre esprit et de notre âme et engendre un bien-être qui favorise la paix et le calme. Un corps en santé produit une énergie insoupçonnée et facilite un état de conscience plus élevé. Cette élévation nous met à l'abri des souffrances physiques et des maladies.

Le système nerveux et l'âge

Les troubles émotionnels – l'anxiété, l'angoisse, la tristesse, la peine et la peur – sont principalement véhiculés par le système nerveux central, qui réagit selon le niveau de stress. Jusqu'à la trentaine, on est beaucoup plus résistant au stress. La vie quotidienne avec toutes ses complexités et ses possibilités émousse lentement note résistance. Alors apparaissent des faiblesses par lesquelles s'infiltrent des problèmes et des troubles de santé. C'est durant l'andropause ou la ménopause que le terrain nerveux est le plus fertile en troubles émotifs.

Chacun vit le stress de façon différente. Certains ont des troubles respiratoires, circulatoires ou digestifs, d'autres des maux de ventre ou d'estomac «inexpliqués».

Les troubles émotifs pouvant découler d'un affaiblissement du système nerveux varient selon l'âge.

Troubles possibles selon les groupes d'âge

Âge	Risques de santé
De 0 à 12 ans:	troubles digestifs
De 12 à 24 ans:	troubles digestifs, problèmes de croissance, déséquilibre hormonal, nervosité
De 24 à 36 ans:	troubles nerveux, émotifs et affectifs
De 36 à 48 ans:	troubles digestifs, nerveux, déséquilibre hormonal (préménopause ou préandropause)
De 48 à 60 ans:	troubles nerveux et hormonaux (ménopause ou andropause)
De 60 à 72 ans:	troubles cardiovasculaires, stress
De 72 à 84 ans:	troubles respiratoires
De 84 à 96 et +:	troubles de dégénérescence osseuse et cellulaire

Cycle d'âge relié à des troubles de santé

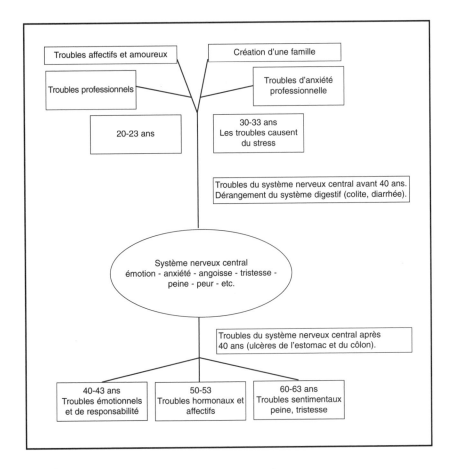

LA VIE FAMILIALE ET LA SANTÉ

Les personnes, généralement plus âgées, issues de familles nombreuses, sont souvent marquées par une éducation trop sévère et empreinte d'un manque d'affection, d'attention et de communication avec les parents.

Ces difficultés, datant souvent de l'enfance, se manifestent en problèmes de dégénérescence physique tels que arthrite, rhumatisme, arthrose, problèmes de digestion ou troubles respiratoires comme l'asthme.

Les gens d'âge moyen rencontrent des difficultés au travail bien souvent jumelées à des divorces ou séparations. Ces troubles ont aussi leurs conséquences sur la santé mentale et physique.

Aujourd'hui, les relations parents-enfants sont différentes. Les jeunes sont invités à exprimer leurs sentiments et leurs frustrations. Leur opinion est devenue importante. Ainsi écouté, l'enfant peut désamorcer ses tensions et subit moins de stress. Pourtant, les enfants demeurent fragiles et plusieurs présentent des troubles digestifs.

Ces enfants sont bien souvent les victimes de séparation, de divorce, des frustrations professionnelles, d'absence physique ou psychologique d'un des deux parents, etc.

L'enfant qui se retrouve seul à la maison parce que ses parents travaillent n'a peut-être pas un mode de vie équilibré.

On se plaint que les jeunes d'aujourd'hui ne respectent plus leurs aînés, ni leurs professeurs ni leurs parents. Qui éduque ces enfants? Quels échanges existe-t-il entre ces parents et ces enfants? L'éducation familiale est le canal premier pour enseigner à l'enfant les règles à suivre.

LA TÉLÉVISION ET LE SYSTÈME NERVEUX

La télévision affecte le système nerveux des enfants

Les émissions de télévision destinées aux jeunes sont dénuées de valeurs morales. Elles se composent de scènes de violence, de sous-entendus sexuels et de bains de sang. L'enfant âgé de 10 à 14 ans n'a pas la maturité et le discernement pour faire une différence entre la fiction et la réalité. L'influence est alors énorme et affecte, à plus ou moins long terme, le système nerveux, et donc les émotions et le comportement.

L'impact de la publicité est tout aussi énorme sur la volonté de l'enfant. Les spots publicitaires concernant les aliments sucrés et autres produits de consommation tendent à créer de nouveaux besoins chez les jeunes. Il devient difficile pour les parents de faire valoir une saine alimentation.

Cette réalité ne s'applique pas seulement aux enfants, mais aussi aux adultes, qui passent beaucoup de temps devant la télévision. Les scènes de violence et autres drames influencent le système nerveux de l'adulte. Les conséquences de la télévision ne sont pas visibles au premier abord, car elle semble si agréable à regarder.

Étudions quelques cas particuliers.

• Juliette se présenta à mon bureau tenant par la main son fils Éric, huit ans, Totalement inquiète et dépourvue, à la recherche d'un réconfort et de conseils face à une situation dramatique. Elle venait de retrouver son fils, sorti de chez lui sans la prévenir, étendu entre deux voitures, l'œil hagard. Son fils souffrait d'hyperactivité. Pendant toute la consultation, il n'a pas cessé de faire tomber des piles de papiers ou de livres qui se trouvaient dans mon bureau. En l'observant, je remarquai qu'il tenait des bonbons à la main. L'enfant gâté typique, qui passe des heures chaque jour devant la télévision à écouter des émissions vides de sens et à manger des friandises qui affectent son développement.

• Christine m'amèna un jour Gilbert, son enfant de dix ans, qui avait perdu la mémoire: il ne reconnaissait plus sa mère, son père, les membres de sa famille, ni même les lettres de l'alphabet et souffrait d'hyperactivité. Il avait tout oublié. Il se promenait dans mon bureau, se cognait et faisait tomber les objets qui se trouvaient autour de lui.

Après évaluation, je découvris que cet enfant était constamment assis devant la télévision et qu'il se nourrissait très mal. Sa mère a alors changé son alimentation: elle a coupé les sucres, le chocolat, le sel, les produits laitiers et le pain blanc, et lui a servi des aliments à base de céréales entières, des vitamines, des minéraux, etc. Elle a remplacé la télévision par des jeux actifs et du sport au grand air. Après deux ou trois mois de ce nouveau mode de vie, il a progressivement retrouvé la mémoire; il a commencé par reconnaître sa famille et a pu ensuite retourner à l'école. J'ai revu cet enfant dix ans après, plein de santé et de sagesse, conscient du rôle de l'alimentation et du mode de vie sur la santé et le bien-être.

• Liliane, dans la jeune trentaine, est venue me consulter pour des problèmes de psoriasis qui l'affectaient énormément. Ses systèmes nerveux, digestif et immunitaire étaient déjà fortement déséquilibrés. Elle endurait cette infection en silence, puisque personne ne semblait être au courant de sa situation. Son mal semblait provenir d'une situation conflictuelle qui la grugeait de l'intérieur.

Elle m'avoua alors que son conjoint avait une maîtresse et qu'elle ne supportait plus la situation. Son silence et ses peurs affectaient sa digestion et provoquaient des maux de tête. Elle se sentait abattue et ne supportait plus le poids de son secret. L'idée de se retrouver seule ne faisait qu'envenimer la situation, car l'angoisse devenait encore plus oppressante. Elle se prit en main. Elle améliora son alimentation, fit des promenades quotidiennes dans le parc. Progressivement, elle devint plus apte à reprendre le contrôle de sa vie et à faire face à ses problèmes conjugaux.

• Caroline souffrait d'hypoglycémie et en était très malheureuse. Elle éprouvait d'énormes difficultés à établir le contact avec sa famille. Elle se mit à être complexée. Le rejet de sa mère augmentait son stress et précipitait ses crises d'hypoglycémie.

Cette femme avait un tempérament sentimental et peu affirmé, ce qui affectait ses relations et l'isolait. Ses crises d'hypoglycémie étaient reliées à ses sentiments non exprimés et refoulés. (Ces troubles sont assez fréquents dans les familles.) L'écoute et la compassion jointes à une meilleure l'alimentation ont contribué à réduire son stress et remonter son moral.

Quelques mois après, elle était tout sourire et avait rétabli le contact avec sa mère et le reste de sa famille. Tous trouvaient qu'elle avait changé, qu'elle était plus calme et qu'il était plus facile d'entrer en communication avec elle.

Les personnes qui viennent me consulter se plaignent de devoir couper tous les plaisirs de la table et de n'avoir «pas grand-chose à manger». Ce style alimentaire se vit comme un vrai choc culturel.

Habitués, depuis fort longtemps, à un menu pommes de terre, pâtes alimentaires, pain, fritures, etc., ils ne trouvent pas facile de manger de simples céréales.

En plus, arrêter de fumer, cesser de prendre alcool, sucre, sel, café et thé rendent leur nouveau mode de vie «sévère». Mais ils développent progressivement de nouveaux réflexes alimentaires et ces changements sont très bien acceptés par le corps. Les résultats ne se font pas attendre bien longtemps. Après quelques semaines déjà, les gens voient leur santé s'améliorer. Le teint devient plus clair, la personne retrouve une énergie depuis longtemps oubliée et les troubles tendent à s'estomper.

Après seulement quelques semaines, des cas de colites ulcéreuses, troubles sanguins, muqueuses et diarrhée s'améliorent grandement. Après quelques mois, migraines, arthrite, psoriasis, acné, hypoglycémie, anémie, diabète, problèmes cardiaques, ulcères à l'estomac, endométriose, hépatite et même cancers s'améliorent nettement.

Depuis quelques années, les gens sont plus ouverts à ce genre de «régime». La santé et la prévention ne sont plus des choses inconnues et beaucoup sont plus attentifs à ce qu'ils mangent. Au lieu de se fermer, les gens posent des questions et démontrent une ouverture d'esprit.

L'information sur la santé circule davantage. On fait de plus en plus le lien entre l'alimentation et la santé.

UN SYSTÈME IMMUNITAIRE AFFAIBLI?

- Devons-nous accepter que la maladie fasse partie intégrante de notre vie?
- Sommes-nous persuadés que nous devons inévitablement tomber malade, et avoir la grippe, une amygdalite, une bronchite, ou des otites, parce que c'est l'hiver?
- Pensons-nous que notre enfant doit être malade parce qu'une épidémie frappe les élèves de son école?

LA BEAUTÉ ET LA SANTÉ

Un corps en bonne santé conserve plus longtemps sa beauté, ses formes et son agilité, demeure souple et plus agréable au toucher.

En Occident et surtout en Amérique du Nord, la majorité des adultes souffrent d'embonpoint ou d'obésité. Cet excès de poids occasionne des malaises physiques et de graves problèmes de santé: démarche moins souple, malformations aux jambes et aux hanches, peau grasse, sans éclat et sujette à l'acné. Ces problèmes de poids sont bien souvent aussi accompagnés de troubles psychologiques.

L'INFLUENCE DU BONHEUR SUR LA SANTÉ

Le bonheur englobe le bien-être physique, mental, moral et spirituel.

Il dépend un peu des influences extérieures – physiques, politiques, économiques ou philosophiques. Chaque personne est heureuse si elle atteint les objectifs de sa propre définition du bonheur.

DIX INGRÉDIENTS DE BASE
POUR ATTEINDRE LE BONHEUR

1. La satisfaction d'avoir réussi sa vie
2. L'absence de regrets
3. La tranquillité d'esprit
4. L'acceptation de ce que la vie nous offre
5. La modestie et la simplicité
6. L'équilibre émotionnel
7. La générosité
8. L'attitude positive et le sourire face à la vie
9. L'honnêteté envers soi
10. L'honnêteté envers les autres

LA SOUFFRANCE ET LA SANTÉ

Toutes les souffrances psychologiques peuvent être des causes d'une mauvaise santé.

La tristesse, la mélancolie, la peur de vieillir, l'isolement, la peur de la mort, engendrent une souffrance physiologique.

L'orgueil blessé, une séparation, un divorce, une mortalité, les regrets, l'impression d'avoir raté quelque chose d'important, entraînent un épuisement psychologique.

La santé est directement liée à la volonté de bien se sentir sur le plan physique, de s'occuper de soi et de bien se nourrir.

Une saine nutrition, jumelée à un meilleur contrôle de sa vie, procure énergie débordante, bon appétit, sommeil profond et réparateur, bonne mémoire et bonne concentration, bonne humeur et sens de l'humour, endurance, créativité, regard franc et direct, esprit consciencieux, participation active à la vie sociale, solide volonté, grande générosité et bonté, attitude de tolérance et de compréhension, saine communication.

LA SANTÉ ET L'ÉDUCATION

Il y a vingt ans, il était difficile d'enseigner l'importance de manger sainement. La plupart des maux aujourd'hui courants n'étaient alors que des exceptions. La nécessité de changer de mode de vie et d'habitudes alimentaires ne faisait pas alors l'unanimité. Certains étaient même persuadés qu'une alimentation à base de céréales et de germinations les rendrait probablement malades. Plusieurs adoptaient ce type de régime alimentaire à moitié, espérant se rétablir sans trop se restreindre.

Les professionnels de la santé ne conseillaient pas encore de cesser de consommer de la caféine, du sucre, du sel, des gras et d'arrêter de fumer et de faire d'autres changements dans son mode de vie.

Il est cependant évident que les maladies dégénératives résultent directement de ces excès, accumulés durant de nombreuses années. Les effets néfastes de la cigarette ou du café ne se produisent pas du jour au lendemain; cela peut prendre une quinzaine d'années avant qu'on observe la dégénérescence des organes – poumons, foie, intestins, estomac et organes génitaux.

Voilà pourquoi, en plus d'arrêter de fumer, on doit aussi changer son alimentation et son style de vie pour régénérer le système immunitaire affaibli.

La pollution, l'alimentation en conserve et autres préparations alimentaires, les colorants artificiels, les agents de conservation dans les aliments, les produits chimiques – pesticides fongicides, insecticides sur les aliments, etc. –, le sucre et le sel sont non seulement dommageables pour le système digestif et les intestins, mais ils affectent le système nerveux et à long terme ont des conséquences comme l'hépatite, l'hypoglycémie, l'arthrite, la colite, la maladie de Crohn, la fibromyalgie ou le cancer. Or ces problèmes de santé ont beaucoup augmenté.

Les maladies graves ne sont pas venues sans donner de signes d'avertissement. Par exemple, on passe une soirée à faire bonne chère, à fumer et à boire. Les jours suivants on éprouve de la fatigue, des troubles de concentration et de dépression, de l'irritabilité. On devient alors un terrain favorable au développement de la grippe. Il faudra des jours, voire des semaines, pour rétablir son équilibre et régénérer son système.

L'exercice physique et l'air pur restent essentiels à la détente et à l'oxygénation du corps et notamment du cerveau.

Si vous habitez en ville, marchez jusqu'au parc le plus près de chez vous.

Si vous avez la chance d'habiter à la campagne ou en montagne, sortez tous les jours pour profiter de l'air pur.

EXEMPLES DES EFFETS
DU MODE DE VIE SUR LA SANTÉ

La comparaison entre la femme orientale d'autrefois et celle d'aujourd'hui est éloquente. La femme orientale d'antan franchissait la ménopause comme un charme. Sa vie était calme et son alimentation équilibrée. L'éducation tradition-nelle lui interdisait de consommer alcool, chocolat, café et de fumer.

Les femmes asiatiques vivant maintenant en Amérique sont aussi touchées par des problèmes de santé reliés à l'alimentation et à un mode de vie stressé. Comme les Nord-Américaines, elles souffrent à la ménopause de stress, de nervosité, de bouffées de chaleur, d'angoisse, etc. Les cancers et autres maladies dégénératives sont plus fréquentes. Leur longévité est réduite.

Lorsqu'une mère fume, boit et prend du café pendant la grossesse ou l'allaitement, elle prépare des troubles de santé à son bébé. La nicotine, la caféine et l'alcool entravent sérieusement le développement de l'enfant, occasionnent des malformations, des retards et des troubles cardiaques. Les enfants de parents fumeurs sont plus nerveux, souffrent davantage de constipation, de diarrhée, de colite et pleurent «sans raison apparente».

Le système nerveux est fragile aux abus de sucre et de chocolat qui engorgent le foie et affectent les intestins. La consommation quotidienne de chocolat provoque de l'hypersensibilité ou de l'hyperactivité et, à plus long terme, l'hypoglycémie et le diabète. Ces excitants entraînent souvent fatigue chronique, agressivité et un manque de concentration. Les enfants ainsi affaiblis sont évidemment plus fragiles à la grippe, au rhume et aux otites.

Si on fume, boit de l'alcool, du café, des boissons gazéifiées, si on mange au restaurant chaque jour, si on prend des repas lourds et difficiles à digérer, comprenant des gras, des fromages et des desserts, on affecte rapidement son système digestif – estomac, foie et intestins – et par la suite ses autres organes vitaux.

Après de si copieux repas, on se concentre difficilement, on est plus fatigué, plus nerveux, plus irritable. À la longue, on souffre d'insomnie et de problèmes cutanés – démangeaisons, eczéma, psoriasis, etc.

Apparaissent ensuite des signes de vieillissement précoce: rides, cernes et yeux enflés ou pochés.

Les femmes suivant des régimes amincissants devraient toujours prendre des suppléments de vitamines et de minéraux. Ces régimes déséquilibrés engendrent bien souvent des problèmes d'anémie et d'autres troubles de santé – étourdissements et pertes d'équilibre, etc.

Les enfants agités qui manquent de concentration sont bien souvent sédentaires et mal nourris – gâteaux, sucreries, fromage, pain blanc, etc.

NE PAS ÉCOUTER SON CORPS:
UNE NÉGLIGENCE!

Nous sommes souvent fort disposés à aider les autres à résoudre leurs problèmes. Nous savons les écouter et, bien souvent, nous nous sentons même responsables de leur personne. Hélas, nous ignorons souvent nos propres problèmes.

Il est pourtant essentiel de prendre quelques minutes par jour pour écouter son corps, pour apprendre à connaître son fonctionnement et à reconnaître ses petits problèmes. Une petite douleur au ventre revient de temps à autre? Elle peut être significative, ne l'ignorez pas. Observez alors ce qui se passe après chaque repas, comment votre estomac réagit, etc. Interrogez-vous et écoutez: vous parviendrez ainsi à mieux connaître et mieux comprendre votre état de santé. Cet examen quotidien pourrait vous éviter bien des problèmes.

QUELQUES RÈGLES DE VIE POUR
RECOUVRER LA SANTÉ

Épuisé, mal en point, on doit quelquefois prendre joyeusement le lit pour récupérer.

Voici quelques conseils pour tirer le meilleur parti de cette période de retour à la forme.

1. Garder la température de la maison entre 18 et 22 °C et l'humidité relative entre 30 et 50 %.
2. Dormir la fenêtre légèrement ouverte. Se vêtir légèrement. Se couvrir de couvertures chaudes et légères. Éviter les courants d'air.
3. Faire une sieste de 30 minutes à 1 heure l'après-midi.
4. Prendre plusieurs petits repas par jour.
5. Éviter les repas trop lourds et trop gras.

6. Manger lentement et détendu. Éviter les émotions fortes, les sujets dramatiques et négatifs et les tensions pendant les repas.
7. Ne pas boire au repas.
8. Apprécier le repas qu'on prend. Remercier, reconnaître, admirer.
9. Prendre un dessert, si nécessaire, au moins deux heures après le repas.
10. Éviter la constipation ou la diarrhée.
11. Faire de l'exercice chaque jour en plein air.
12. Respirer profondément plusieurs fois par jour.
13. Masser le cuir chevelu, la nuque, le cou, une ou deux fois par jour.
14. Se faire masser au moins une fois par semaine et plus souvent l'hiver.
15. Relaxer. Prendre un bain tiède ou chaud, avec jet ou tourbillon, avec du sel de mer et algues, et de l'huile d'amande douce.
16. Prendre du repos. Au besoin, limiter ses activités.
17. Limiter le temps passé à la télévision, à l'ordinateur et au téléphone.
18. Au besoin, masser une ou deux fois par jour les muscles ou articulations endolories avec une huile stimulant la circulation.

Menus type d'une journée

Au lever
Jus d'herbe de blé
Jus de papaye (ou autres fruits ou salade de fruits)
Ginseng et gelée royale .

Vers 7 h
Céréales
Gruau à l'eau, avec ou sans boisson de riz, et graines de tournesol ou,

Crème de riz à l'eau, avec sauce soya légère, et gingembre ou,
Son d'avoine ou son de blé avec farine de riz ou d'orge, à l'eau avec boisson de riz ou sauce soya légère et graines de sésame ou,
Céréales de grains mélangés ou,
Une tranche de pain germé avec beurre de sésame ou de tournesol

Vers 8 h
Tonique
Tisane + vitamine

Vers 10 h
Jus au choix
Jus de fruits, melon, cassis, pomme et eau, un extrait d'herbes Essiac ou de Floressence, de kombucha, d'orge ou,
Boisson de soya ou de riz ou,
Bouillon de céréales entières (orge, avoine, etc.)

Le midi
Céréales entières (riz brun, millet, avoine) avec tofu ou fèves ou viande blanche, légumes cuits à la vapeur et salade avec graines de sésame, tournesol ou citrouille
Tisane et vitamines

Vers 15 ou 16 h
Une tranche de pain au levain, avec pâté végétal ou hummus et graines de tournesol, avec fromage de riz ou soya
Une tranche de pain germé avec du beurre de sésame avec ail et persil ou,
Bouillon de céréales ou,
Gâteau, pouding ou muffin (sans sel, sans sucre et sans gras) ou,
Fruits non acides ou,

Bouillon de céréales
Yogourt de chèvre avec mélasse verte ou stévia avec graines ou noix ou,
Riz doux avec graines de sésame et algues nori ou,
Fèves mung ou avec la noix de coco fraîche râpée ou,
Une patate sucrée cuite ou,
Sushhis au tofu ou tempeh
Gelée de melon miel, avec tisane

Vers 17 heures
Jus de carotte ou de concombre avec céleri et persil

Vers 18 h
Soupe de légumes ou potage
Céréales entières avec tofu et sésame ou
Poisson, légumes cuits à la vapeur, salade et algues
Tisane et des vitamines

Vers 20-21 h (si nécessaire)
Tisane au besoin,
Galette de riz, ou tranche de pain germé avec beurre de sésame, de tournesol ou d'amande, ou compote de pommes, ou
un fruit (avocat ou pomme), ou
Bouillon de céréales ou tonique

Ce menu santé comprendra deux repas de céréales entières par jour, additionnées de protéines.

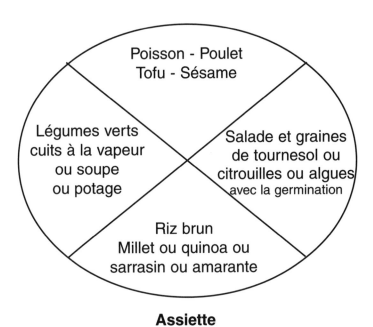

Assiette

CHAPITRE 4

LES BESOINS ESSENTIELS DE LA VIE HUMAINE

LES PRINCIPES DE BASE DE LA VIE

1. Le soleil est essentiel au système immunitaire.
2. L'air et l'eau assurent notre survie.
3. Les exercices physiques représentent de 40 à 50 % du processus de régénération des tissus et des organes.
4. Une bonne digestion, jumelée à une évacuation quotidienne, favorise une bonne santé.
5. De bonnes combinaisons alimentaires favorisent le travail du côlon, assurant ainsi une plus grande longévité.
6. Des jus frais alcalins pris chaque jour équilibrent le pH sanguin, réduisent l'acidité corporelle et apportent des aliments nutritifs essentiels.
7. Les graines germées et les pousses facilitent la digestion et aident au bon fonctionnement des intestins.
8. Les algues, la levure de bière vivante, les bactéries acidophiles, les enzymes, le pollen et les herbes douces favorisent la digestion et l'assimilation des aliments.
9. Les massages aident le dégagement des graisses, des toxines et stimulent la circulation sanguine, favorisent

la détente, la relaxation, stimulent les glandes et l'activité psychique.

10. La visualisation permet de cultiver une attitude physique, mentale, morale et spirituelle saine et équilibrée.

LE SOLEIL

Le soleil est une véritable source de vie et de guérison:
- il régularise la pression sanguine;
- il équilibre le taux de glucose dans le sang;
- il favorise l'assimilation de la vitamine D, essentielle à la calcification des os;
- il renforce le système immunitaire.

L'hiver, le manque de soleil occasionne souvent des carences et engendre des troubles émotionnels pouvant mener à la dépression, voire au suicide. Ces problèmes sont évidemment beaucoup plus présents dans les pays nordiques.

Le soleil est vital à notre santé physique et mentale. Il est donc essentiel d'en prendre une dose quotidienne, surtout l'hiver. Sortir prendre l'air, pratiquer un sport de plein air ou marcher en pleine nature aide à mieux s'oxygéner.

Il est cependant capital de ne pas abuser des rayons solaires, qui sont nocifs à trop forte dose. Une trop vive ou trop longue exposition au soleil entraîne des effets nocifs sur la santé. À court terme, cela cause de la fatigue et à long terme le vieillissement prématuré de la peau et l'apparition de mélanomes (cancer de la peau). Il est donc recommandé de s'exposer au soleil de courtes durées plusieurs fois par jour, tôt le matin (de 6 à 10 heures) et en fin d'après-midi (entre 15 et 18 heures), où les rayons solaires sont moins dommageables. Des protections solaires devront être appliquées régulièrement au besoin.

L'AIR

L'air que nous respirons, sa qualité et la façon dont nous le respirons ont une très grande importance pour la santé. Il est essentiel d'inspirer en profondeur afin d'oxygéner le sang et d'avoir un bon fonctionnement du cerveau, du cœur et des reins.

Tout notre corps, y compris la peau, bénéficie d'une saine aération. La meilleure technique de respiration demeure l'activité physique intense, le sport et le travail vigoureux.

Les grandes villes et leur pollution hypothèquent grandement la qualité de l'air que nous respirons.

Pour une saine aération quotidienne, il est préférable de remplir ses poumons tôt le matin, au lever du soleil ou tard en soirée, de préférence dans un parc en montagne.

Dans une vie au rythme effréné, il est essentiel de s'assurer de respirer sainement.

L'EAU

L'eau est indispensable à notre survie. Or, l'eau est aujourd'hui polluée à l'échelle planétaire. Il est vital de bien choisir l'eau qu'on boit.

L'eau dure (du robinet ou de source)

On retrouve généralement dans ces eaux des minéraux inorganiques, calcium, cuivre, magnésium, fer, silice, etc. Ces minéraux sont excellents pour les plantes, mais ne conviennent pas à notre système. Elles surchargent les organes d'élimination et à long terme peuvent occasionner des troubles de santé.

Les eaux provenant des nappes phréatiques (souterraines) sont aujourd'hui polluées par les pluies acides et par les déchets toxiques. Les eaux usées rejetées par les usines, par les égoûts ou par les exploitations agricoles polluent les lacs, les rivières et finissent par rejoindre les nappes souterraines.

Ces accumulations de toxines dans le corps humain risquent d'entraîner de graves problèmes de santé, par exemple des complications des reins, de la vessie ou de la prostate. De plus, les toxines forment des dépôts sur les parois intestinales, occasionnant des problèmes de constipation. À la longue, elles surchargent l'organisme et causent des problèmes de circulation. Elles se logent le long des artères pour causer des problèmes d'hypertension et d'arthrite, affaiblissent notamment le pancréas, les reins, le foie, et favorisent aussi la cellulite.

L'eau distillée

Dans beaucoup de pays, principalement au sud de l'équateur, les gens recueillent et consomment l'eau de pluie.

Hélas, aujourd'hui, les pluies acides combinées à la pollution de l'air rendent cette eau impropre à la consommation. Il est recommandé de la faire bouillir et de la filtrer avant de l'utiliser.

Ma mère récoltait l'eau de pluie et la gardait dans une grande citerne. Cette eau servait à la consommation et à la cuisine. Rien n'était plus amusant pour nous, enfants, que de sortir les jours de mousson pour sentir l'eau fraîche nous couler dessus et tenter d'en boire quelques gouttes. Notre peau avait alors une douceur inégalée. L'eau était alors propre à la consommation.

L'eau distillée est obtenue par évaporation, les impuretés se déposent sur les filtres. Ce procédé donne une eau pure, exempte de particules inorganiques et de bactéries.

La distillation est un procédé tout à faire naturel qui produit une eau totalement pure. L'absence totale de minéraux rend cependant cette eau fade et sans goût. L'eau distillée a de plus la propriété de «nettoyer l'organisme». Elle aide à dissoudre les toxines, les substances minérales, les cristaux acides et les autres déchets déposés dans les organes ou sur les articulations, sur les parois artérielles, pour les éliminer par les selles et les urines.

On peut ainsi progressivement éliminer des calculs rénaux et biliaires de manière naturelle et sans douleurs. Ce détartrage assouplit les articulations et régularise la pression sanguine.

Il est important de ne pas confondre les sels minéraux organiques et les minéraux inorganiques. Les sels minéraux organiques sont essentiels à notre système. Ils proviennent des fruits, des légumes, des céréales et des compléments nutritifs végétaux. Les minéraux inorganiques sont inassimilables et nocifs pour notre organisme.

L'élimination de ces toxiques favorise une meilleure digestion et assimilation des vitamines.

Les aliments préparés avec une eau distillée se conservent plus longtemps. Utilisée pour cuisiner, l'eau distillée révèle les goûts subtils et délicats des aliments. Les boissons comme les tisanes et les jus ont une saveur plus veloutée. Donnée aux nouveaux nés, elle prévient les coliques. Les vaches à qui l'on donne une eau distillée ont une production laitière supérieure de 20 %. Leur lait contient moins de bactéries.

Il est important cependant de prendre des suppléments de minéraux pour maintenir un parfait équilibre.

L'EXERCICE PHYSIQUE

L'exercice physique est essentiel pour notre santé. Un manque d'exercice quotidien entraîne à la longue des troubles cardiovasculaires, lymphatiques, circulatoires, digestifs, respiratoires et immunitaires.

L'activité physique quotidienne assure l'oxygénation du sang et favorise la purification de la lymphe, qui joue un rôle déterminant dans l'élimination des déchets accumulés sur les parois des cellules.

L'exercice physique favorise la réduction du stress, de l'anxiété et des frustrations quotidiennes. Sa pratique aide à maintenir un équilibre émotionnel. Le ski, le volley-ball, le tennis, le badminton, la danse, la natation, le jogging, les arts martiaux (kong-fu, taï-chi, taie-kwon-do, le Qi-gong, etc.) sont d'excellents sports à pratiquer.

Les exercices de relaxation comme le yoga et la méditation favorisent aussi une meilleure circulation sanguine, ils facilitent la détente et l'équilibre physique et mental. Ces techniques sont fortement conseillées aux angoissés et aux dépressifs.

Marcher et prendre l'air chaque jour constitue un excellent exercice physique à tout âge. Marcher une ou deux heures dans les bois, en prenant soin de respirer profondément, oxygène le sang, sollicite le cœur et favorise la détente. Les exercices quotidiens permettent de faire le vide, de retrouver son calme.

Les muscles

Il y a plus de 700 muscles dans le corps humain. Tout comme l'alimentation qui doit être variée pour favoriser un équilibre et prévenir les carences, l'exercice physique doit être varié afin d'éviter l'atrophie de certains muscles. Pour se maintenir en santé, les exercices choisis doivent solliciter l'ensemble des muscles. L'exercice donne un corps bien sculpté, ce qui est toujours aussi agréable à regarder.

Le massage

Le massage n'est pas seulement une technique de relaxation permettant la détente. Il stimule aussi la circulation dans les différentes parties du corps et favorise l'élimination de certains déchets.

Un bon massage pour:
- le ventre de bébé facilite sa digestion;
- la tête d'un enfant favorise la détente et régularise le système nerveux;
- le dos et le corps d'un adolescent favorise une meilleure posture et aide à la détente;
- les pieds permet de réduire le stress, induire la détente et faciliter la relaxation mentale;
- l'équilibre hormonal et nerveux à la ménopause ou l'andropause;
- une personne âgée permet de réduire la décalcification des os.

Essentiel à tout âge, le masssage aide et prévient certains troubles, en plus de faciliter la détente et la relaxation, sans parler du plaisir qu'il procure. Masser la tête, la nuque, les épaules et le dos aide à détendre le système nerveux. Masser le ventre, la région lombaire et le thorax soutient le système digestif. Le massage des corps réflexes a aussi des bienfaits spécifiques sur les différents organes.

Il existe différentes techniques de massage, variant selon les pays d'origine. Les types de massages que l'on retrouve en Orient suivent les principes du yin et du yang et des méridiens du corps. Ces techniques, vieilles de 5 000 ans, parviennent à corriger certains désordres physiques, en se basant sur la position des organes et des muscles.

La réflexologie aux pieds et aux mains est un excellent remède pour soulager les maux en général.

LA CIRCULATION DE L'ÉNERGIE

La circulation du sang et de l'énergie

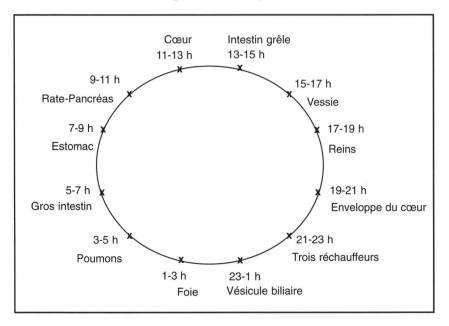

Chaque organe a une énergie maximale et une période de récupération à un moment particulier de la journée ou de la nuit. L'énergie circule d'un organe à l'autre et complète un tour complet en 24 heures. Chaque organe a donc un moment précis de la journée où il peut être soigné plus efficacement.

Cette rotation commence par les poumons, à l'aube, de 3 à 5 heures, elle circule en descendant, puis remonte, et le lendemain recommence son circuit.

Par exemple, de 5 à 7 heures du matin, on ressent la faim, et le gros intestin s'active. De 9 à 11 heures, le manque d'énergie nous indique que la rate et le pancréas ont besoin d'énergie. De 17 à 19 heures, des maux de dos, des palpitations, des vertiges et une transpiration plus abondante sont les symptômes de faiblesses aux reins. Entre 1 et 3 heures, le foie peut nous réveiller avec des sensations de brûlures et des bouffées de chaleur.

Système digestif et besoins énergétiques

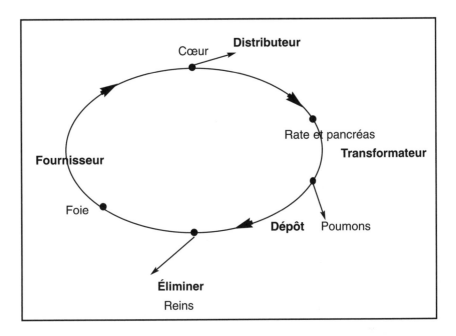

CHAPITRE 5

L'ALIMENTATION ET L'ÉNERGIE

....

L'énergie nécessaire à notre corps nous est fournie par les aliments que nous assimilons. Voilà pourquoi il est essentiel de consommer des aliments sains.

Pour extraire cette puissance des aliments, le corps ne consomme que très peu d'énergie si l'aliment est de qualité. Le gain d'énergie est énorme. Si l'aliment est de mauvaise qualité, il demande plus d'efforts au corps pour en extraire la même quantité d'énergie. Le gain d'énergie est moindre.

Une mauvaise alimentation entraîne une faible production d'énergie.

– L'aliment apporte très peu d'énergie utilisable pour le corps;

– L'aliment exige du corps une dépense énergétique supplémentaire pour éliminer les toxines apportées par l'aliment. Pas de nouveau gain d'énergie, l'apport est négatif, ce qui entraîne une baisse d'énergie, puis un affaiblissement du système immunitaire.

La baisse d'énergie rend le système nerveux inefficace et occasionne des troubles psychologiques: problèmes de concentration, comportement instable, sentiment d'insécurité, changements de caractère, etc.

À long terme, ces baisses d'énergie entraînent des problèmes physiques – ulcères, arthrite, etc. – et des problèmes émotifs – fatigues chroniques, paranoïa ou autres.

Évidemment, ces baisses d'énergie nous affectent moins lorsqu'on est jeune et en pleine forme, mais ces effets nocifs s'accumulent et peuvent se manifester à la moindre occasion.

POURQUOI SE NOURRIR SAINEMENT?

Manger consiste davantage à se nourrir d'aliments de qualité qu'à se remplir l'estomac avec ce qu'il y a dans l'assiette pour assurer son bien-être son énergie, sa croissance et sa récupération. Manger sainement chaque jour, et de façon tout à fait normale, n'est pas une punition. Ce qui est «bon» à manger varie selon les pays, les coutumes, les traditions familiales et les préférences personnelles.

Une saine alimentation assure une meilleure santé, le bon fonctionnement de nos organes et favorise notre équilibre.

Une personne qui se nourrit d'aliments biologiques, qui pratique un sport chaque jour, ou une autre activité physique, se détend régulièrement et suffisamment vit en meilleure santé et favorise son développement mental et spirituel.

La personne constitue un tout: l'esprit contrôle l'âme, qui contrôle la pensée, qui contrôle le corps.

L'homme n'échappe pas aux lois de l'univers, il en fait partie intégrante.

Si l'âme est malade, elle affecte la pensée, qui affecte l'esprit qui à son tour affecte le corps. L'énergie vitale baisse, entraînant une déficience de tout le système, et ouvre la porte aux maladies.

LA PENSÉE ET SES EXCUSES

La façon de manger est généralement fondée sur les habitudes et les goûts personnels.

Une motivation forte et éclairée est essentielle pour améliorer ses habitudes alimentaires.

Des résultats encourageants se feront sentir vite. Pour réussir cette transition, il est important d'être bien informé sur l'alimentation.

LES HABITUDES ALIMENTAIRES

Notre digestion répond aux rituels, à la composition de nos repas. En prenant ses repas aux mêmes heures tous les jours, on aide au bon fonctionnement du système digestif.

Il est recommandé de prendre le repas le plus important de la journée le matin et le plus léger le soir. Le travail et la dépense énergétique de la journée favorisent la digestion. Un repas plus lourd pris en soirée occasionne bien souvent des troubles de sommeil.

Bien se nourrir pour mieux guérir

Notre état de santé dépend de notre nutrition et de sa qualité. Pour être en santé on ne doit pas se laisser mener par la gourmandise, mais manger quand on a vraiment faim, et seulement la quantité dont notre corps a besoin. De plus, il est nécessaire de manger lentement et de mastiquer à fond chaque bouchée, de déguster ses aliments dans une atmosphère détendue, essentielle à une bonne digestion. De trop gros repas se transforment en gras et en sucre et engendrent à long terme des problèmes de santé fréquents: obésité, hypoglycémie, diabète, etc.

Entre les repas, prendre une petite collation au besoin. Pour perdre du poids, pour réduire l'hypoglycémie, prendre 6 petits repas, soit un toutes les 2 ou 3 heures.

Éviter de trop mélanger les types d'aliments: les combinaisons alimentaires difficiles entraînent un surcroît de travail pour le système digestif et occasionnent des ballonnements et des fermentations.

La viande devrait toujours être mangée en premier car ses protéines réclament une grande quantité d'acide hydrochloride. Les protéines animales nécessitent une plus longue période de digestion que les hydrates de carbone. Des problèmes digestifs se présentent lorsque ceux-ci restent trop longtemps dans l'estomac: alors des bactéries se développent et produisent une fermentation. On termine donc le repas avec des aliments riches en hydrate de carbone, comme par exemple des céréales entières.

Boire quand on a soif. Il est inutile de se fixer comme règle de santé une certaine quantité de liquide à prendre par jour. Évidemment, on retrouve du liquide dans les jus, dans les fruits et les légumes, les soupes, etc.

Se reposer quand on ressent la fatigue, dormir quand on a sommeil. Voilà une autre règle de santé.

LES PROTÉINES ANIMALES

La viande maigre n'est pas à bannir de notre alimentation même si elle est plus longue à digérer. Elle joue un rôle important dans l'alimentation des gens des pays froids, surtout chez les enfants et les adolescents en période de croissance, ou pour ceux qui pratiquent des sports.

Les aliments végétaux sont pauvres en lysine, acide aminé indispensable à la croissance, qu'on trouve principalement dans la viande.

LA VIANDE DANS L'ALIMENTATION HUMAINE

La viande n'a pas toujours été aussi présente à la table qu'à notre époque. Autrefois, les gens se nourrissaient principalement de légumes, de fruits, de racines, de plantes, d'algues, de céréales, de noix et de graines. On mangeait de la viande le dimanche ou lors de festivités.

Dans la plupart des pays du monde, la nourriture de base se composait de céréales: le riz en Asie, le blé en Europe et en Amérique du Nord, le blé, le millet et l'orge en Hongrie, le maïs, l'amarante et le quinoa en Amérique du Sud et au Mexique, le millet et le sésame au Moyen-Orient, le seigle et le sarrasin en Russie et en Europe de l'Est, l'avoine en Écosse.

La consommation de viande s'est accrue lorsque l'élevage s'est industrialisé. L'utilisation d'hormones et d'antibiotiques et la génétique sont venues accroître les capacités naturelles de reproduction de l'animal. En effet, une vache nourrie aux hormones peut donner naissance à un veau deux fois plus souvent qu'une vache nourrie naturellement.

Le veau, toujours grâce aux hormones, grandit deux fois plus vite que dans la nature et est ainsi prêt plus tôt pour l'abattage. Ces animaux subissent des changements trop rapides dans leur développement.

Cette surproduction a amené à manger plus de viande qu'on n'en a réellement besoin. Cette alimentation augmente le taux de gras toléré par le système.

Une trop grande consommation de protéines animales entraîne une accumulation des toxines dans le sang que les organes excréteurs ne suffisent pas à éliminer, rendant ainsi l'organisme trop acide.

La surcharge des organes d'élimination et de régulation comme le foie, les reins et le pancréas engendre des problèmes de diabète et d'hypoglycémie. Cette surcharge occasionne aussi des carences, notamment en calcium et magnésium et en vitamines, notamment B.

L'acide urique et les purines provenant de la consommation excessive de produits animaux engendrent une dégénérescence de l'intestin et provoquent des troubles des articulations, artériosclérose, caries dentaires et ostéoporose, inflammation de la prostate, vieillissement précoce et même cancer.

Plusieurs peuples, les Caucasiens, les Indiens du Yucatán, les Vilcabambas d'Équateur, les Tibétains et les Huzakuts qui ont une longévité élevée atteignent facilement les cent ans. Tous vivent dans des régions montagneuses, consomment très peu de viande et sont pratiquement végétariens. Ils cultivent leur nourriture sans produits chimiques et sont physiquement actifs.

Cette saine alimentation, jumelée à l'air pur des montagnes, retarde le vieillissement.

La viande, en plus d'être dommageable pour la santé, coûte très cher. Plus l'animal est gros, plus il nécessite des soins, plus il accumule de toxines. Le poulet ou le poisson sont moins nuisibles, car ils contiennent moins de toxines.

Il est donc important de réduire sa consommation de protéines animales.

L'industrialisation des cultures, l'élevage aux hormones et les modifications génétiques sont les causes directes de l'affaiblissement du système immunitaire. Cette vulnérabilité ouvre la porte aux maladies, qui ne cessent de se multiplier.

FAUT-IL MANGER PLUS DE PROTÉINES VÉGÉTALES?

Il a été démontré par le professeur Huntington de l'Université de Columbia, aux États-Unis, que la structure même de l'organisme humain n'est pas conçue pour l'absorption de protéines animales. Ses analyses démontrent que les intestins de l'homme sont plus aptes à recevoir et à digérer des aliments végétaux que des produits animaux.

L'intestin grêle et le gros intestin sont formés de parois froncées (et non lisses comme ceux des animaux carnivores), ce qui a pour effet de retarder l'évacuation des aliments consommés. Le long parcours dans les intestins facilite le développement des toxines, qui finissent par surcharger le foie. La viande contient à elle seule une très forte dose d'urée (produit final de la dégradation des acides aminés s'éliminant par les urines) et d'acide urique (produit de la dégradation des acides nucléiques s'éliminant par les urines). Ces acides surchargent le travail des reins. Par exemple, un demi-kilo de bœuf nous donne 15 g d'acide urique.

Les céréales, les légumineuses et les germinations constituent des sources de protéines végétales supérieures aux protéines animales.

Contrairement aux vitamines et aux minéraux, les protéines ne s'accumulent pas dans l'organisme. Pour être assimilées, les protéines animales doivent d'abord être décomposées en acides aminés. Ce processus surcharge la digestion, affaiblit le foi, causant des problèmes de santé.

Les gros consommateurs de viande ont bien souvent un visage plus gras, des yeux plus fatigués, sont plus ridés, plus nerveux, et ont généralement des problèmes de congestion nasale.

L'intestin devrait évacuer ses déchets en moyenne trois fois par jour. Pour ce faire, on a besoin de consommer suffisamment de fibres alimentaires.

Les animaux carnivores possèdent un intestin grêle droit parfaitement lisse et beaucoup plus court que celui de l'homme. Le passage rapide de leurs aliments dans leur intestion favorise leur digestion, même en l'absence de fibres de leur alimentation.

Les fibres végétales se digèrent rapidement, il est donc nécessaire de bien mâcher afin d'en favoriser une plus grande assimilation.

Une alimentation trop riche en gras et en protéines animales est reliée à l'incidence de certains types de cancer, notamment du côlon et du sein. La surcharge, l'élimination et la filtration que doivent effectuer les reins pour assimiler

115

le gras et les protéines animales entraînent aussi une surcharge cardiaque. Une consommation importante de protéines animales entraîne bien souvent une perte excessive de vitamines, principalement de vitamine A.

Lorsqu'on consomme de la viande, il est recommandé de prendre des suppléments de calcium pour éviter une diminution de la masse osseuse.

La consommation de viande est bien souvent la cause principale de la fatigue chronique et du manque d'énergie, car la viande est pauvre en hydrates de carbone, source essentielle d'énergie. Pour établir une alimentation plus équilibrée, consommer plus de protéines végétales.

- Après avoir consommé des protéines animales, on ressent la fatigue de 10 à 20 minutes plus tard.
- Après consommation de protéines végétales, la fatigue ne se manifeste pas avant 30 minutes.

LA SURALIMENTATION

Une suralimentation, par exemple à 5 000 calories par jour, occasionne notamment des problèmes de santé, dont l'obésité.

Les excès alimentaires proviennent en général d'une trop grande consommation de:
- produits laitiers, qui peuvent susciter un taux de calcium trop élevé dans le sang;
- gras animal, qui entraîne un surplus de poids, l'artériosclérose, des troubles de circulation sanguine et de tension artérielle, l'inflammation de la vésicule biliaire et autres déséquilibres;
- sel, qui cause de l'hypertension et des problèmes respiratoires.

La suralimentation est une auto-intoxication causant des problèmes de santé comme l'obésité, des taux de cholestérol, le diabète, le cancer et de triglycérides élevés, le stress, la colite, le vieillissement et la mortalité précoces. Ces troubles sont très répandus en Amérique du Nord.

LA MALNUTRITION

La malnutrition touche aussi bien les pauvres que les riches. Les gens dans le besoin achètent à moindre coût des aliments pauvres en nutriments, mais très riches en calories. On retrouve dans leurs sacs d'épicerie de la viande (trop grasse), de la margarine, du sucre blanc raffiné, du riz blanc précuit, du pain blanc, des aliments préparés, des aliments en conserve. Ces aliments coûtent moins chers à l'achat mais sont malheureusement dépourvus de vitamines et de minéraux.

Les Orientaux mangent beaucoup plus – hélas! – de riz blanc que de riz brun, souvent pour des raisons de pratiques familiales ou encore par opinion préconçue, selon laquelle le riz brun serait plus difficile à digérer. Or, le riz brun (complet) une fois bien mastiqué se digère aussi facilement que le riz blanc, et a l'avantage de contenir beaucoup de vitamine B et plus de fibres.

Sur tous les continents, on mange généralement beaucoup trop rapidement. La nervosité qui accompagne généralement les repas et l'habitude de ne mastiquer qu'à moitié ajoutées hélas à l'habitude de plus en plus répandue de manger en regardant la télévision génèrent bien souvent des troubles digestifs: coliques, ulcères et indigestion d'estomac, etc.

Les Sud-Américains ont tendance à consommer trop de produits à base de farine blanche, comme les pâtes alimentaires, le pain, les desserts, etc. Pour eux, manger fait partie des plaisirs de la vie et le goût l'emporte sur la valeur nutritive. Cette façon de se nourrir entraîne un surplus de poids.

Les Nord-Américains sont de gros consommateurs de pâtes alimentaires, de sucre, de friture, de pâtisseries, de viande, ce qui suscite des troubles articulatoires, respiratoires, cardiovasculaires et éventuellement des cancers.

En Asie, des gens aisés ont à peu près la même attitude alimentaire que les Occidentaux. Leur alimentation se compose de repas compliqués répondant à des plaisirs gustatifs. Il en résulte les mêmes conséquences: tension artérielle, problèmes cardiaques, etc.

Les mêmes abus se retrouvent aussi en Europe. Dans les grandes occasions, on consomme sans modération chapons, foies de canard ou d'oie, etc. Ces excès de protéines animales sont évidemment accompagnés de sauces, de beurre, d'épices, de desserts, de crème, d'alcool, etc. Ces surplus caloriques favorisent l'excès de cholestérol, de triglycéride, les problèmes cardiaques et autres troubles de santé.

LES RELIGIONS ET LES ÉCOLES EN ALIMENTATION

Le bouddhisme

Le bouddhisme préconise une alimentation végétarienne, comprenant des fruits, des légumes, des légumineuses, des racines, des graines, des protéines végétales et des algues. La boisson est le thé. Les bouddhistes consomment du sucre et du sel. Leur cuisine est souvent à base de friture, de riz blanc et de sauce soya. Ils ne consomment ni viandes, ni produits laitiers, ni œufs.

Certaines carences entraînent chez eux des troubles digestifs, respiratoires ou anémiques.

Ils pratiquent le taï-chi et le kung-fu en plein air, ce qui leur fournit leur apport quotidien en oxygénation. Les bouddhistes sont parmi ceux qui ont le moins de problèmes de santé.

Les adventistes du septième jour

Les adventistes ne consomment pas de tabac, d'excitants (café, thé, boissons gazéifiées, etc.), d'alcool, de viande ni de poisson.

Ils sont donc peu touchés par les cancers de la bouche, des poumons, du larynx et de l'œsophage. Les hommes souffrent moins de troubles de la vessie et les femmes ont moins de problèmes liés à l'utérus.

Les mormons

Les mormons ont des habitudes alimentaires assez strictes. Ils ne consomment ni tabac, ni alcool, ni excitants (café, thé, boissons gazéifiées, etc.), ni médicaments, ni viande. Ils sont en assez bonne santé, et ce, à tous les âges. Ils sont parmi ceux qui ont le moins de problèmes de santé reliés au style de vie.

Les ordres religieux catholiques

Les membres des ordres religieux catholiques consomment de la viande. Ils ont une tendance aux troubles du système digestif, du côlon, du cœur et de la prostate. Les femmes ont souvent des troubles digestifs et des problèmes aux ovaires, à l'utérus et aux seins.

Le macrobiotique (zen)

Les macrobiotes classent les aliments en yin et en yang. Ils consomment presque exclusivement des céréales et très peu de crudités. Ils ne consomment pas de friture, mais agrémentent leurs aliments de sauces et pâtes de soya fermentées et salées (miso et tamari).

Leur alimentation démontre de graves carences en proteines lipides, vitamines B_1, B_2, fer et calcium pouvant causer des problèmes d'anémie, de scorbut et de déminéralisation. Ce régime ne convient que pour une courte durée.

Les crudivores

Ne manger que des légumes crus ne constitue peut-être pas le meilleur régime. Le tube digestif actuel a quelques problèmes à ne digérer que des aliments crus. Une mastication insuffisante entraîne des troubles de digestion, irrite l'intestin grêle et le gros intestin, entraîne diarrhées et colites.

Ce type d'alimentation peut être efficace pendant une certaine période, pour renuméraliser l'organisme.

Les crudités contiennent énormément de sels minéraux et de vitamines. Leur consommation a un effet alcalisant sur l'organisme, stimule le mouvement péristaltique intestinal et favorise l'évacuation des selles. Ceux qui souffrent de problèmes cardiovasculaires, d'un surplus de poids ou de diabète ont intérêt à manger davantage cru.

Le végétalisme

Les végétaliens consomment uniquement des aliments végétaux: légumes, fruits et plantes. Ils ont souvent des carences en protéines et en minéraux, qui suscitent hypotrophie des muscles, anémie, et une urine alcaline et abondante.

Le végétarisme

Les végétariens (ou ovo-lacto végétariens) consomment des céréales, des légumes, des fruits, des produits laitiers et des œufs. Cette alimentation, riche en hydrates de carbone, en acides aminés, en potassium, en calcium et en vitamines B et C est énergisante et saine pour la santé. Une alimentation principalement végétarienne accompagnée d'un peu de viande réduit les effets néfastes de cette dernière.

Une alimentation végétarienne équilibrée ne contient ni trop de légumineuses, ni trop de produits laitiers, ni trop de crudités, et combine dans le même repas des aliments compatibles à la digestion.

Mal équilibré, le végétarisme peut entraîner hypoprotéinénie, anémie, insuffisance rénale ou même cancer.

L'alimentation et l'énergie alimentaire

Les aliments fournissent à notre corps les éléments nutritifs nécessaires à son entretien. Selon sa valeur nutritive et l'effort qu'il demande pour le digérer, chaque aliment entraîne un gain ou une perte d'énergie.

L'ALIMENTATION ET LES BESOINS ÉNERGÉTIQUES

Les besoins énergétiques de l'organisme dépendent de multiples facteurs. Le métabolisme de base représente la dépense calorique nécessaire au corps au repos, à jeun, à une température modérée et dépend du poids, de la taille, de l'âge, du sexe d'une personne et de son type d'alimentation. Elle varie aussi selon l'activité physique: assis, on dépense moins d'énergie que debout, et plus si on fait de l'exercice.

Pour maintenir sa température à 37 ^{O}C, le corps humain utilise déjà une dose d'énergie de base.

L'assimilation des aliments requiert une quantité importante d'énergie nécessaire, soit 30 % pour les protéines, 4 % pour les graisses, 5 % pour les glucides. Les activités sportives demandent de 5 à 10 % de l'énergie. Les habitants des régions froides consomment une alimentation plus riche, car pour maintenir leur température ils ont besoin de beaucoup d'énergie.

Chaque type d'aliment fournit une valeur énergétique différente:

1 g de protéine génère 4,1 calories,
1 g d'hydrates de carbone génère 4,1 calories,
1 g de gras génère 9,3 calories.

Les besoins caloriques quotidiens d'un adulte varient selon l'âge, le sexe et l'activité physique:

Un homme a besoin de 2 700 à 3 000 calories par jour;
Une femme a besoin de 2 500 à 2 700 calories par jour;
Une fille: 1 275 calories par jour;
Un garçon: 1 287 calories par jour;
Une adolescente: 2 600 calories par jour;
Un adolescent: 3 530 calories par jour.

LES BESOINS EN PROTÉINES

Une bonne alimentation doit comprendre les dix acides aminés essentiels à l'organisme: tryptophane, phénylalanine, tyrosine, lysine, thréonine, méthionine, cystine, leucine, iso-leucine, valine, que l'on retrouve dans le lait, le fromage, le poisson, la viande, les œufs, le soya et les céréales entières.

Pour un adulte, une portion quotidienne de 60 à 80 g de protéines est recommandée, dont la moitié en protéines animales, c'est-à-dire environ 1 g par kg de poids corporel.

Une fois digérées, environ 50 % des protéines se transforment en glucides.

La valeur d'une protéine dépend totalement de sa composition en acides aminés. Les aliments riches en protéines ne contiennent pas tous les acides aminés: le soya et les pois chiches sont riches en lysine, indispensable à la croissance. Le maïs, par exemple, ne contient ni lysine ni tryptophane.

LES GRAS ET LEURS APPORTS

Le gras végétal est important dans le transport des vitamines liposolubles, A, D, E, K, importantes pour la croissance des adolescents.

Le gras végétal se digère lentement, ce qui a pour effet de réduire la consommation de calories.

Le gras animal contient essentiellement des triglycérides, acides gras fortement saturés qui taxent le foie, le cœur et les artères.

Le gras des poissons contient des acides linoléique et linolénique plus légers pour l'organisme.

Les acides gras à longue chaîne, comme le EPA, le DHA et le DPA, sont essentiels au maintien de la souplesse et de la qualité des membranes cellulaires. Les acides gras essentiels aident à réduire le taux de cholestérol, à diminuer les problèmes sanguins et à prévenir les accidents cérébraux vasculaires.

Ces acides gras essentiels se trouvent dans l'huile de lin et les huiles de poisson riches en oméga 3.

Les acides gras et Omega 3-6-9

Les acides gras et Omega 3-6-9 sont nécessaires quotidiennement à la nutrition humaine.

Les acides gras d'Omega – 3	
Huile de chanvre	20%
Huile de lin	58%
Huile de graines de citrouille	15%
Pépin raisin	10%
Huile de Chia	30%
Candlenut, Kukui	29%

Aussi, les huiles de Primevère (Onagre) chanvre, bourrache et cassis sont riches en acide linolénique et acide gamma-linolénique, qui aident à contrôler les troubles d'arthrite et le PMS.

Les acides gras d'Omega – 6	
Huile d'onagre	81%
Huile de safran	75%
Huile de tournesol	65%
Huile de chanvre	60%
Huile de lin	14%
Huile de maïs	59%
Huile de graines de citrouille	42 – 57%
Candlenut /Kukui	40%
Huile d'olive	8%

Ces huiles sont nécessaires à la prévention des troubles de dépression nerveuse et de multiples scléroses. Elles aident à contrôler la déficience DHA.

Les acides gras d'Omega – 9	
Huile de lin	19%
Huile de chanvre	12%
Huile de graines de citrouille	34%
Huile de chia	12%
Huile de canola	60%

Ces huiles sont nécessaires pour prévenir les troubles de circulation.

L'hydrogénation des graisses dans la fabrication de la margarine et autres produits a lourdement contribué à l'augmentation des problèmes de santé.

Bien qu'elle consomme trop de gras, environ 80 % de la population américaine affiche une carence en acides gras essentiels, qui entraîne fatigue chronique, dépression, troubles de digestion, manque d'endurance, peau sèche et cheveux secs, ongles cassants, et à long terme de graves maladies de dégénérescence.

La carence en acides gras essentiels est présente dans de multiples problèmes de santé: eczéma, acné, allergies, arthrite, artériosclérose, kystes, fibrose kystique, diabète, hypertension, hyperactivité, problèmes intestinaux, problèmes rénaux, leucémie, sclérose, myopathie, problèmes de poids, psoriasis et maladies cardiovasculaires, maladie d'Alzheimer et même certains types de cancer.

Les excès de graisses animales – beurre, huiles raffinées, fromages, lait, crème – peuvent occasionner de graves maladies, obésité et troubles cardiaques.

Une absence de gras dans l'alimentation n'est donc pas souhaitable.

LES ACIDES GRAS ESSENTIELS ET LE CHOLESTÉROL

Les acides gras essentiels comme l'acide linoléique, l'acide linolénique et l'acide arachidonique sont efficaces pour faire baisser le taux de cholestérol; on les trouve dans les huiles de soya, de tournesol et de maïs.

La margarine

Les huiles végétales servent à la fabrication de la margarine qui, chez beaucoup de consommateurs, remplace le beurre. Son succès est attribuable à son faible coût et à son taux de gras moins élevé.

La margarine est principalement constituée:
– d'huile de palmier, qui donne une couleur blanche à la margarine, et contient 50 % de matières grasses;
– d'huile de palme (feuille du palmier) dont la couleur jaunâtre provient de sa teneur en carotène;
– d'huile de maïs, très riche en acides gras polyinsaturés (acide linoléique);
– d'huile d'arachide, qui contient 40 % de matières grasses;

- d'huile de noix de coco, qui contient jusqu'à 70 % de matières grasses;
- de lécithine, extraite du soya et utile pour dissoudre les mauvais gras.

Dans la plupart des margarines, on ajoute des vitamines A et D, des triglycérides, en plus des 20 à 75 % d'acides gras insaturés et des colorants (para-amino-diméthylazobenzène) qui entraînent des risques élevés de cancer du foie.

Pour compenser la valeur nutritive des huiles et autres corps gras, éviter de les faire chauffer ou frire.

Les huiles

Les huiles se classent en trois catégories, selon qu'elles sont insaturées et polyinsaturées.

Les huiles insaturées

Les huiles insaturées contiennent des acides gras monoinsaturés ou des acides gras polyinsaturés.

On retrouve dans les huile insaturées:
- l'huile d'olive vierge pressée à froid: grandement appréciée, et consommée abondamment dans tous les pays méditerranéens. Elle contient des antioxydants essentiels à la réduction des radicaux libres, si nocifs à l'état de nos artères;
- l'huile d'arachide, grandement appréciée et utilisée en Asie. Elle peut contenir de l'aflatoxine, une toxine sécrétée par la moisissure de l'arachide si le traitement n'a pas été effectué selon les règles. L'huile vendue est généralement raffinée;
- l'huile de palme rouge vierge, principalement utilisée en Afrique. Elle provient d'un fruit très riche en carotène et se révèle excellente pour le développement des enfants;

126

- l'huile de noix de coco (raffinée), très utilisée en Asie. Elle est riche en triglycérides. Elle peut nuire à la longévité. On retrouve souvent cette huile dans certains produits alimentaires fabriqués en industrie.

Les huiles polyinsaturées

Les huiles polyinsaturées sont riches en acides gras polyinsaturés, très efficaces dans la lutte contre les maladies infectieuses et en triglycérides à chaînes moyennes. Elles contiennent jusqu'à 60 % d'acides gras polyinsaturés, si elles sont extraites à froid.

Parmi ces huiles polyinsaturées, on retrouve:
- l'huile de maïs;
- l'huile de tournesol, qui contient 60 % d'acide et l'huile de soya, très efficace pour réduire le taux de cholestérol. Pressée à froid, elle contient jusqu'à 60 % d'acide linoléique.

Les huiles polyinsaturées peuvent s'altérer durant la cuisson, lorsqu'elles sont chauffées à température élevée. Le tocophérol est un antioxydant qui protège les acides gras polyinsaturés contre l'oxydation.

Huile de serpent: Cette huile utilisée depuis des milliers d'années par les Chinois, contient 25 % d'huile de serpent et de camphre et 20 % de ce produit contient des acides gras et de l'EPA qu'on utilise dans la médecine chinoise pour les traitements anti-inflammatoires.

CHAPITRE 6

LE SYSTÈME DIGESTIF
ET LES BESOINS ÉNERGÉTIQUES

LE RÔLE DES ORGANES
ET LEUR FONCTIONNEMENT

*L*e foie est une glande digestive et un organe d'excrétion. Il a de multiples fonctions: il synthétise les vitamines, les minéraux, les protéines, il neutralise les toxines, il contrôle la couleur de la peau, compense les baisses d'énergie en puisant dans ses réserves, etc.

Un foie malade crée un déséquilibre général. Le système perd alors son énergie et sa force vitale. Le foie est une source de vigueur pour envoyer le sang filtré jusqu'au cœur. Associé au pancréas, il permet le stockage des hydrates de carbone, des gras des protéines, etc.

La rate et le pancréas exercent un contrôle sur les sucres et ont une grande influence sur le cœur. Les reins et le cœur fournissent l'énergie nécessaire aux poumons pour fonctionner et s'oxygéner. Les reins ont un lien direct avec les os (dans le dépôt calcaire).

L'action combinée du foie, du cœur, de la rate, du pancréas, des poumons et des reins a une influence directe sur la santé de l'individu. Le déséquilibre d'un de ces organes abaisse le taux d'énergie qui finit par atteindre les quatre autres et crée un terrain propice aux maladies.

LES CINQ ORGANES ET LEURS FONCTIONS

Le foie fait fonctionner la vésicule biliaire, les tendons et les yeux.

Le cœur est responsable des artères, des vaisseaux sanguins, de la langue et de l'intestin grêle.

La rate et le pancréas veillent sur le taux de glycémie et sont en liens directs avec la peau, les lèvres et les muscles.

Les poumons assurent l'oxygénation de la peau et des cheveux. Des problèmes aux poumons entraînent des troubles cutanés, l'eczéma, des cheveux fragiles et secs.

Les reins assurent la vitalité des ongles, de la vessie, des oreilles et des cheveux. Son dysfonctionnement entraîne arthrite, rhumatisme, arthrose et ostéoporose.

Les cinq éléments

Le bois alimente le feu qui distribue à son tour les cendres à la terre. La terre recycle les cendres et la transforme à nouveau en matières premières, comme le métal. Le métal, quant à lui, se dissout dans l'eau qui à son tour nourrit le bois.

Ces cinq éléments, nous l'avons vu au début de ce livre, correspondent aux cinq organes majeurs de notre corps. Tout comme ces cinq éléments, les organes sont liés entre eux et sont soumis aux lois de l'univers pour permettre un meilleur contrôle du corps et de la nature afin de créer un équilibre harmonieux.

Le système digestif

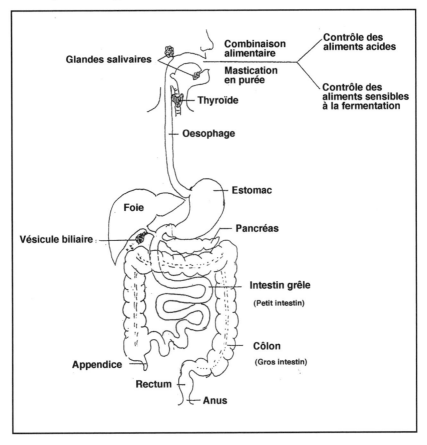

Les cinq saveurs et leurs propriétés

Ces cinq saveurs permettent de donner du goût à ce que nous mangeons.
Ces goûts nous donnent de l'appétit.
– Aigre et le goût acide
– Amer et le goût âcre
– Sucré et le goût acide
– Salé et le goût acide
– Piquant et le goût fort

Le cycle d'énergie du système digestif

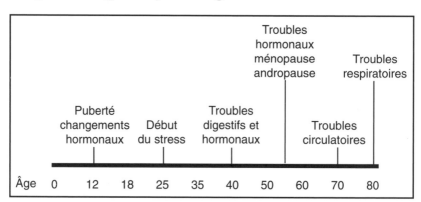

LE SYSTÈME DIGESTIF

L'estomac, situé plutôt à gauche et un peu sous les côtés, reçoit la nourriture mastiquée et travaille à transformer cette purée en y ajoutant des sucs gastriques et des substances de protection, notamment:
– l'acide chlorhydrique, substance désinfectante et dissolvante;
– la pepsine, pour digérer les protéines;
– le mucus qui protège l'estomac même contre les acides qu'il secrète.

Les sucs transforment par exemple le sucre en glucose et entament la digestion des graisses en les désintégrant.

Une fois «digérés», les aliments passent dans l'intestin grêle, où ils sont assimilés. Un aliment mal mastiqué, mal combiné, mal digéré, entraîne des fermentations, des gaz dans l'intestin.

Au passage, le foie secrète la bile qui neutralise les germes et les toxines et dissout les graisses. Si ces derniers organes sont inefficaces, on s'expose à des diarrhées et des coliques.

LE FOIE

Le foie est le noyau central qui exerce et stimule l'énergie des autres organes. Si le foie fonctionne mal, les autres organes dépérissent. Le système digestif, considéré comme la clé de la vie, dépend lui aussi du bon fonctionnement du foie.

Situé plutôt à droite, juste sous les côtes, le foie d'un adulte pèse de 2 à 4 kg. Il filtre le sang qui provient de l'estomac et des intestins, pour le renvoyer dans le reste du corps, débarrassé de ses impuretés.

Le foie prépare les protéines, les hydrates de carbone et les graisses, soit pour les emmagasiner pour une utilisation ultérieure soit encore pour s'en servir immédiatement.

Le foie emmagasine des réserves d'énergie sous forme de glycogène.

Il produit une forme de sucre, des substances permettant au sang de coaguler lors de blessures.

Un foie engorgé, fatigué, entraîne une baisse d'énergie de tout le système.

Le corps humain est fondé sur la coopération. Quand un organe est affaibli, les autres organes travaillent plus fort pour compenser.

Avec l'âge, la puissance d'élimination suit la même courbe; voilà pourquoi il est important avec l'âge de permettre à ses organes – foie, estomac, intestin etc., de se reposer.

Un nouveau-né qui souffre de coliques verra ses maux de ventre augmenter sans cesse et ses problèmes digestifs s'aggraver à moins que soient améliorées son alimentation et son mode de vie.

L'ASSIMILATION DES ALIMENTS

Comment faciliter l'assimilation des aliments

- Manger lentement et bien mastiquer chaque bouchée.
- Ne pas manger plus que son estomac peut contenir.
- Trop manger surcharge de travail notre système digestif.
- Un repas plus léger mais complet favorise une meilleure digestion et se revèle plus nutritif.
- Ne pas boire pendant les repas.
- Les liquides diluent les sucs gastriques.
- Il est conseillé de prendre la tisane après le repas afin d'aider le système digestif à digérer facilement les graisses.

LES COMBINAISONS ALIMENTAIRES

Chaque type d'aliments se digère plus ou moins bien si on le combine à un autre type d'aliments. Les mauvaises combinaisons alimentaires provoquent la fermentation des aliments, des ballonnements, des gaz et souvent des indigestions. Ces combinaisons ralentissent la digestion, entraînent une mauvaise assimilation et rendent l'évacuation difficile, causant des troubles de constipation, de diarrhée ou des coliques.

1. Attendre au moins deux heures après un repas pour prendre le dessert, même les fruits.
2. Ne pas mélanger les fruits et les céréales.
   Cette combinaison – le sucre des fruits et l'amidon des céréales – et l'alcalinité entraînent des fermentations.
3. Ne pas mélanger pâtes alimentaires, viande et légumes acides. Cette combinaison occasionne des digestions difficiles.

4. Ne pas mélanger du sucre et des pâtes, et ne pas mélanger les fruits secs et les céréales au repas: cette combinaison favorise la fermentation et les gaz.

Tous les fruits ont chacun une quantité d'eau et un taux de sucre spécifique. En les combinant comme il le faut, vous parviendrez à contrôler le degré d'acidité et de fermentation dans l'estomac et l'intestin. Vous aurez ainsi une bien meilleure digestion.

Les troubles reliés à la digestion, comme les ulcères d'estomac, les colites, etc., peuvent être contrôlés par une diminution de la consommation de fruits, excepté le melon de miel, la papaye et la pomme.

LA MASTICATION

Mastiquer sert à réduire les aliments en miettes pour les rendre accessibles aux substances digestives. Une noix ou un grain de maïs insuffisamment mastiqué par exemple se retrouve entier dans les selles, donc non digéré!

Une mastication insuffisante affecte l'estomac à la longue et cause des problèmes de dyspepsie, d'indigestion et de gastroentérites.

CONSOMMER DES ALIMENTS ÉNERGÉTIQUES

Les éléments énergétiques se trouvent surtout dans
- les céréales entières: blé, riz, millet, maïs, sorgho, kamut, épeautre, amarante, quinoa, sarrasin, seigle, avoine, orge, etc.
- les graines: sésame, tournesol, citrouille, lin, etc.
- les noix: amande, noisette, noix du Brésil, noix de cajou, noix de Grenoble, pignon, noix de coco, etc.

Deuxième partie

Les aliments

和

CHAPITRE 7

LES CÉRÉALES ET LEURS PROPRIÉTÉS

LES CÉRÉALES

*L*eur enveloppe est une excellente source de vitamine B et leurs graines, de vitamine E.

Les céréales contiennent quelque 80 % de glucides, 10 % de protéines, 5 % de lipides et 2 % de sucre ainsi que des sels minéraux, des vitamines, des enzymes.

Riches en protéines, en vitamines, en minéraux – notamment en phosphore, essentiel à l'assimilation du calcium et de la vitamine B –, ces aliments sont nécessaires à l'entretien et au renouveau des tissus du corps.

Riches en fibres, ils favorisent l'équilibre de la flore intestinale, ce qui réduit donc les risques de cancer du côlon.

Leurs acides gras monoinsaturés (acide linoléique ou vitamine F) favorisent la circulation.

Il est recommandé de consommer chaque jour:
– 1 à 2 cuillérées à soupe de graines;
– 5 à 10 noix;
– 2 cuillérées à soupe d'huile pressée à froid;
– 1 à 2 tasses de céréales entières (cuites);

Pourcentage de protéines dans les céréales

Céréales entières	% (g pour 100 g)
Riz	8
Maïs	10
Orge mondé	10
Orge perlé	8
Seigle	12
Avoine	10
Millet et sarrasin	10
Amarante	19
Quinoa	15

Les céréales contenant peu de lipides (gras)

Maïs et avoine	4 à 6 %
Seigle, orge et riz	1 à 2 %
Quinoa	5,1 %

Certaines parties des céréales contiennent plus de lipides. On s'en sert pour faire de l'huile – de maïs, de germe de blé, etc.

Pourcentage de lipides dans certaines parties des céréales

Germe de blé	6 à 11 %
Son de blé	3 à 5 %
Germe de maïs	35 %
Son de maïs	1 %

La plupart des acides gras du blé, de l'orge et du seigle sont des acides linoléiques. La farine blanche sans son et sans germe perd donc beaucoup de vitamines B et E.

Les céréales contiennent un très haut taux de sels minéraux, principalement du phosphate, du sulfate de calcium, du potassium, du magnésium, un peu de sodium, de chlore et de soufre, selon les céréales, ainsi qu'une certaine quantité de fer.

Tableau de la valeur nutritive des céréales

	son de blé brut	germe de blé brut	blé dur	couscous cuit	bulghur cuit
Eau	10%	11%	11%	73%	10%
Protéines	5 g	7 g	10 g	4 g	11 %
Matières grasses	1 g	3 g	2 g	T	1 %
Glucides	19 g	15 g	53 g	23 g	76 %
Fibres	13 g	4 g	2 g	1 g	2 %
Pour	30 g	30 g	75 g	100 g	100 g

T = traces

Tableau des quantités de sels minéraux dans les céréales (pour 100 g)

Taux de sels minéraux dans les céréales pour 100 g
(d'après le Dr Paavo-Airola)

Éléments	Froment	Orge	Seigle	Avoine	Maïs	Riz	Sarrasin	Millet
Phosphore (mg)	380	189	376	405	268	285	282	311
Calcium (mg)	36	16	38	53	22	68	114	20
Magnésium (mg)	157	37	115	143	147	90	229	162
Fer (mg)	3	2	4	4	2.1	T	3	7
Sodium (mg)	3	3	1	2	1	78	T	T
Potassium (mg)	370	160	467	352	284	714	448	430
Protéines	14	8.2	12.1	14.2	8.9	2	11.7	10
Calories	330	349	334	390	348	119	335	327
Hydrates de ca.	69	79	73	68	72	25	73	73
Acide gras	2	1	1.7	7.2	4	6	2.4	3

T = traces

LES CÉRÉALES ET LEURS PROPRIÉTÉS

Amarante

Peu connue, l'amarante est pourtant la céréale la plus équilibrée par ses acides aminées. Riche en protéines, elle est très nutritive pour les nourrissons. Ses graines contiennent:

50 % de glucides;
11 % de protéines;
11 % de fibres;
5 % de matières grasses;
280 cal/75 g.

L'amarante contient aussi des acides aminés – de la lysine, de la méthionine, du tryptophane –, des minéraux, magnésium, phosphore, cuivre, zinc et potassium en grandes quantités, et fer (deux fois plus que dans le blé dur) et calcium (quatre fois plus que dans le blé dur) en moins petites quantités. C'est une excellente source d'acide folique, de vitamine B complexe, de B_6, et C. L'amarante contient peu de gluten.

Le blé

Le blé est riche en fibres, en vitamines B_1, B_3 et E, en minéraux, en calcium, en phosphore, en soufre, en fer, en zinc et en gluten. Il est pauvre en lysine. Le blé favorise le fonctionnement du foie et stimule le cerveau.

Le haut taux de gluten du blé entraîne souvent des allergies, des problèmes respiratoires, de l'asthme et des problèmes gastro-intestinaux, des rhumatismes, des éruptions cutanées, des diarrhées et le *Candidas albican*.

Le son de blé

Le son de blé est riche en vitamines B et en minéraux. Sa teneur en protéines est plus élevée dans le blé dur, qui sert à fabriquer le pain, que dans le blé mou, qu'on emploie pour les pâtisseries.

Le germe de blé

Le germe de blé est la partie de la céréale qui contient le plus d'éléments nutritifs. Il contient des matières grasses – des acides gras linoléiques, et est riche en vitamine E et en minéraux – fer, phosphore, calcium, magnésium – mais contient peu d'amidon.

La consommation régulière de germe de blé réduit le taux de cholestérol, les troubles de circulation et les problèmes coronariens.

Le blé concassé

Broyé sous la chaleur, le blé concassé perd beaucoup de sa valeur nutritive. Il devient ainsi moins riche en protéines, en vitamines et en minéraux. Il a cependant l'avantage de cuire plus rapidement.

Le blé soufflé et les flocons de blé

Le blé soufflé conserve fort peu de sa valeur nutritive après avoir subi la pression exercée par la chaleur pour le faire éclater. Les flocons de blé conservent la moitié de leur valeur nutritive après le traitement qu'ils subissent. Ils sont d'abord écrasés, puis plongés dans l'eau pendant plusieurs heures et enfin cuits.

Les semoules de blé, de maïs et de riz

La semoule ne contient ni son ni germe. Les grains sont moulus en fines granules, avant d'être trempés dans l'eau. La pâte obtenue est façonnée en fines couches puis cuite à la vapeur. Une fois séchée, la pâte est réduite en granules. Elle contient très peu de vitamines et de fibres.

La semoule est utilisée dans les soupes, dans les desserts, et peut remplacer les pâtes alimentaires.

Le bulghur de blé entier (le couscous)

Le blé dur est trempé durant 12 heures, puis germé pendant deux ou trois jours. Une fois germé, il est cuit pendant une heure trente, puis séché et concassé. La germination permet de conserver le niacine (B_3), l'acide folique, le fer, le phosphore, le potassium, mais fait perdre la moitié de la vitamine B.

Le triticale

Le triticale est un hybride du blé et du seigle qui pousse très bien dans les régions pauvres, en montagne. Riche en lysine, en vitamine B, en magnésium, en potassium, en acide folique, en zinc, en phosphore, en cuivre et en calcium, il contient un peu plus de protéines que le blé. On l'utilise pour faire le pain.

Valeur nutritive de la farine de triticale (% pour 100 g)

Eau	13 %
Protéines	17 %
Matières grasses	2 %
Glucides	73 %
Fibres	19 %

Le sarrasin

Le sarrasin est une céréale très nutritive, riche en protéines de qualité, en vitamines B, E, rutine de bioflavonoïde, en minéraux: manganèse, magnésium, potassium, phosphore et fer, et assez pauvre en sodium.

Une consommation régulière de sarrasin aide à régulariser la tension artérielle, réduire les troubles cardiovasculaires, et aussi favorise un meilleur fonctionnement des reins. Réduit les douleurs rhumatismales, les varices et les signes du vieillissement.

Le sarrasin se prépare de multiples façons en céréales entières ou farine pour les crêpes, etc.

Le riz

Le riz se veut un des aliments les plus consommés au monde. Il représente plus de 40 % de la consommation mondiale de céréales. Environ 15 % de cette production de riz est vendue en préparations précuites.

Le riz a une bonne valeur en protéines et en lysine. Certaines espèces, le riz brun agglutinant et le riz sauvage, sont très riches en protéines (amérindien).

Le riz brun

À sa récolte, le riz est séché au soleil, puis décortiqué: le riz est de couleur grisâtre.

Le riz est riche en fibre et en vitamine B.

Le riz contribue à la vigueur du foie, des reins, du cœur et de l'estomac.

Le riz basmati

Le riz basmati possède une grande valeur nutritive. Son arôme et son goût particulier proviennent de sa période de maturation, où il est entreposé dans des caves pendant deux ans.

Avant d'être décortiqué, ce riz est partiellement cuit à la vapeur, ce qui fait agglutiner l'amidon tout en retenant les vitamines et les minéraux. Le riz basmati peut être blanc ou brun.

Le riz blanc possède moins de fibres que le riz brun, mais il en contient plus que les autres riz blancs que l'on trouve sur le marché.

L'amidon du riz se digère bien.

Un riz brun étuvé perd jusqu'à 40 % de son poids, 80 % de ses matières grasses et 50 % de ses vitamines et minéraux.

Le riz blanc

Le riz blanc est poli, poncé, après avoir été décortiqué. Ce riz ne possède plus de son et a perdu beaucoup de valeur nutritive, notamment sa vitamine B, et ne contient plus que de l'amidon à 85 %. Le riz blanc ne contient pas plus de 9 % de protéines, un peu moins que 1 % de lipides, moins de 0,6 % de minéraux et aussi peu que 0,5 % de fibres. Sa faible teneur en vitamines peut causer le béribéri. Les carences en fer, en potassium et en sodium causées par la consommation de ce riz engendrent de l'anémie et autres problèmes de santé.

Pour le conserver, on y ajoute, en Asie, un mélange de talc et de glucose, et en Amérique du Nord, de la paraffine.

Le riz rouge Wehaoni

Ce riz possède les mêmes valeurs nutritives que le riz brun, mais aussi un goût délicieux et très particulier.

Le riz sauvage

Ce type de riz qui pousse dans les régions de l'Ouest canadien est 2 fois plus riche en protéines que le riz brun et contient beaucoup de vitamines du groupe B.

Le riz agglomérant (rouge ou brun, en anglais sweet rice, *et en Asie, riz gluant)*

Ce type de riz provient de l'Asie et comprend de la dextrine, qui provient de la transformation incomplète de l'amidon, et un haut taux de protéines comparable à la protéine animale. C'est un riz qui se digère très bien et peut être donné aux enfants, aux sportifs et aux personnes âgées. Sa consommation peut être excellente pour ceux qui souffrent d'ulcères d'estomac.

Sa quantité de sucre permet à l'estomac de retenir les sucs gastriques plus longtemps. Sa teneur en sucre fait en sorte que ce riz ne convient pas aux diabétiques et à ceux qui souffrent d'hypoglycémie. Il est déconseillé pour 6 mois après une opération chirurgicale.

Le riz précuit et le riz étuvé

Déshydraté, ce riz précuit ne nécessite que quelques minutes à l'eau bouillante pour être prêt à manger. Un tel riz étuvé ne conserve que la vitamine B_1. C'est un riz qui ne colle pas à la cuisson. Il est déconseillé.

La crème de riz

La crème de riz provient d'une farine dont les grains ont été préalablement grillés, puis moulus grossièrement. Elle cuit beaucoup plus vite que le riz complet.

La moisissure du riz

Un riz contaminé change habituellement de couleur et devient plus jaunâtre, et il est dangereux de le consommer. Le riz peut être contaminé lors d'un mauvais entreposage, affecté par la chaleur et l'humidité.

Farine de riz blanche

La farine blanche se conserve généralement très longtemps et ne rancit pas, car elle ne contient presque pas de gras. Cette farine est pauvre en vitamines B et en protéines.

La farine de riz grise

La farine de riz grise est plus riche en vitamines, en calcium, en fer et en protéines que la farine blanche. Grâce à sa haute teneur en fibres, cette farine facilite le mouvement péristaltique de l'intestin. La farine grise rancit cependant plus vite que la farine blanche, à cause de sa teneur en gras.

La galette de riz (douce)

Cette galette de riz qui se présente comme une biscotte peut être préparée de différentes manières. Elle peut être nature, au lait de coco, aux graines de sésame, sucrée ou à saveurs variées. Généralement consommée comme collation en après-midi, la galette de riz constitue un délicieux goûter. Nature, elle peut être grillée, comme une tranche de pain, et tartinée au goût.

Les crêpes de riz et les nouilles de riz

Les crêpes et les nouilles de riz font partie de l'alimentation de base en Asie. Ces ingrédients se conservent bien dans un endroit sec. Les nouilles de riz contiennent jusqu'à 1 % de calcium et 6 % de fer.

Valeur nutritive des nouilles de riz

% ou g pour 100 g	
Hydrates de carbone	88 g
Calories	39 cal
Protéines	10 g
Fibres	2 g
Sucre	1 g
Gras	1 g

Le son de riz

Le son (la polissure) du riz est un ingrédient extrêmement riche en vitamines B_1, B_2, B_3, B_5 et en fibres. Sa consommation régulière est favorable pour le système nerveux, les reins, les intestins, les muscles et les cheveux.

Le lait de riz brun

Le lait de riz brun est fréquemment utilisé pour remplacer les produits laitiers chez les nourrissons qui ont des allergies ou des coliques, ou encore souffrent d'indigestion, d'ulcères ou de colites.

Le riz fermenté

La levure provenant du riz fermenté et le riz lui-même sont fréquemment utilisés en Asie pour régler des troubles comme le rhume, les maux de ventre reliés au froid, les problèmes de constipation et pour améliorer la digestion. Le riz fermenté réduit le taux de cholestérol. Grâce à ses acides gras insaturés, il aide à réduire le taux de triglycérides et l'hypertension. Il facilite aussi la guérison des lésions cutanées.

Le vinaigre de riz

Ce vinaigre sert à préparer des sushis et des plats composés de viande. Il favorise une meilleure digestion.

Le vin de riz (saké)

Il existe deux sortes de vin de riz.

Le premier est plus agglomérant et est utilisé principalement en cuisine. Il entre aussi dans la composition de certaines préparations médicinales.

Le deuxième, le saké, subit une fermentation pouvant atteindre les 50 % d'alcool. Ce vin très populaire peut accompagner tous les types de repas. Le vin de riz produit de façon artisanale est beaucoup plus élevé en alcool, atteignant un taux d'alcool de 60 à 70 % en Asie. Il est bien souvent lié aux problèmes d'hépatite, de cirrhose et de cancer.

Le riz doux (fermenté)

Le riz doux fermenté est souvent utilisé, en Asie, pour réduire les effets de l'alcool. Accompagné de fèves mung cuites, le riz doux fournit un surplus énergétique et absorbe les vapeurs d'alcool. La fève mung a la propriété de réduire le taux d'alcoolémie.

Le sirop de riz

Le sirop de riz est utilisé pour sucrer des mets et des boissons. Son goût est très doux et légèrement sucré.

Le millet

Utilisé depuis le Moyen Âge en Europe et en Afrique, le millet fait partie depuis longtemps d'une alimentation énergétique. Cette céréale est aussi riche en protéines, en matières grasses et en minéraux que le blé. Elle est alcalinisante et favorise le fonctionnement de la rate et du pancréas.

Sa teneur minérale comprend le calcium, le phosphore, le magnésium, le fer et le potassium. On retrouve aussi les vitamines A, B_1 et des acides gras.

Le millet contient beaucoup de fibres, indispensables à une bonne digestion. C'est une céréale très nutritive et vivifiante.

Valeur nutritive du millet

% ou g pour 100 g	
Eau	71 %
Protéines	3 %
Matières grasses	1 %
Hydrates de carbone	24 %
Calories	119

Le seigle

Surtout connu et utilisé en Europe de l'Est, en Scandinavie et dans les pays nordiques, le seigle sert principalement à fabriquer le pain. Cette céréale, riche en hydrates de carbone, en protéines, en lysine, en acides gras, en calcium, en phosphore, en magnésium, en fer, en sodium, en potassium, en vitamines et en fibres, contient peu de gluten.

Elle se conserve à un taux d'humidité qui ne doit pas être inférieur à 14 % ou supérieur à 15 %, afin d'éviter la contamination de ses grains par un champignon appelé l'ergot. La consommation de graines contaminées peut entraîner la mort.

Fortement recommandé aux sportifs, le seigle renforce les tissus musculaires et en augmente l'endurance.

La farine de seigle

Tout comme les autres farines des céréales, le seigle, une fois moulu, perd énormément de protéines. Sa farine sert généralement à la fabrication du pain, mais aussi à la fermentation du levain. Le pain de seigle est recommandé à ceux qui veulent maigrir, en raison du pentose. Il contient ce sucre jouant un rôle important dans le métabolisme des glucides et dans la formation et le stockage des réserves énergétiques. Son effet gonflant, une fois qu'il se trouve dans l'estomac, sert aussi de coupe-faim.

Valeurs nutritives de la farine de seigle à différents taux de blutage (séparation de la farine et du son par tamisage).

Farine entière - % ou g pour 100 g

	100 %	85 %	75 %	69 %
Protéines	8	7	7	6
Graisses	2	2	1	1
Glucides g	69	73	75	78
Potassium mg	412	203	172	140
Calcium mg	31	26	19	15
Fer mg	3	2	2	1
Phosphate mg	359	193	129	78
Phytate mg	258	104	57	24
Vitamine B_1 mg	460	320	260	150
Vitamine B_2 mmg	290	200	140	80

L'avoine

Utilisée sous diverses formes, en farine, en flocons ou entière, l'avoine reste une céréale nutritive, qui permet de fortifier le système immunitaire. Riche en lipides (6 %), en cellulose, en protéines (13 %), en arginine (6 %), en lysine (4 %) et en hydrates de carbone (66,4%), l'avoine contient aussi des minéraux comme le calcium, le magnésium, le fer, le sodium, le potassium, les vitamines B, de la carotène ou provitamine A et des enzymes.

Sa consommation régulière aide les intestins paresseux et la concentration et soulage ceux qui souffrent d'arthrite ou de la goutte.

Elle ne forme pas de gluten une fois plongée dans l'eau.

Les lipides de l'avoine se constituent de trois acides:

– 10 % d'acide palmitique;
– 59 % d'acide oléique;
– 31 % d'acide linoléique.

Riche en acides phytiques et pauvre en phytase, l'avoine contient un calcium insoluble. C'est pourquoi on recommande de ne pas mélanger le gruau avec du lait. Cette combinaison causerait un surplus de calcium qui provoquerait une saturation de l'acide phytique.

Il serait préférable de consommer de l'avoine avec de l'huile de foie de poisson afin de permettre une meilleure absorption du calcium grâce à sa vitamine D.

L'avoine soulage les troubles reliés au diabète, à la sclérose et à l'hypertension.

L'orge mondé

Depuis longtemps, l'orge été reconnue comme un fortifiant. Riche en calcium, en potassium, en phosphore, en fer, en magnésium et en vitamines B, il contient 10 % de protéines et très peu de gras (1,5 %), principalement constitué d'acide linoléiques. Durant sa transformation en malt, sa teneur en vitamine B augmente considérablement.

L'orge aide à réduire les allergies, l'inflammation des voies digestives, la déminéralisation et le taux de cholestérol.

Valeur nutritive de l'orge

% ou g pour 100	
Eau	69 %
Glucides	28 g
Protéines	2 g
Matières grasses	Traces
Fibres	6 g

La farine d'orge et l'orge perlé

Le grain d'orge est préalablement moulu pour faire de la farine, des flocons ou de l'orge perlé. Ensuite, cette mouture est blanchie avec du dioxyde de soufre (un oxydant), avant qu'on ne prélève le tissu entourant la graine (le péricarde) qui fournira l'orge perlé. L'orge perlé est ensuite poli jusqu'à ce qu'il devienne jaunâtre, avant d'être enduit de talc pour sa conservation.

Le malt

Le malt est le sucre de l'orge. C'est un fortifiant facile à digérer. C'est un sucre lent, qui se libère graduellement et s'emmagasine dans le foie et le pancréas. Favorable à l'estomac, il réduit les troubles digestifs, les douleurs abdominales et la faiblesse générale et soulage la bronchite chronique.

La levure de bière

La levure de bière est utilisée pour son pouvoir de fermentation dû aux micro-organismes qu'elle contient. Ce type de champignons, provenant de l'orge, est riche en vitamines B et en minéraux: fer, chrome, élénium et zinc.

Elle aide à réduire les problèmes digestifs et favorise la santé des cheveux.

Le quinoa

Cette céréale d'Amérique centrale, très proche du sarrasin, a longtemps été considérée comme la céréale de base des Incas.

Le quinoa contient 60 % d'hydrates de carbone, 15 % de protéine, 5 % d'acides gras, des minéraux, du calcium, du fer, du phosphore et de la vitamine E. Le quinoa (ou riz inca) ne contient pas de gluten, ce qui le rend facilement assimilable.

Teneur en minéraux du quinoa

Calcium	67 mg
Phosphate	408 mg
Magnésium	204 mg
Potassium	1040 mg
Fer	11 mg
Manganèse	2 mg
Zinc	7,1 mg

Le maïs

Cette céréale contient 10 % de protéines, en plus d'être déficiente en lysine et en tryptophane, ce qui peut susciter le pellagre (maladie due à une carence en vitamine PP).

Le maïs est cependant prédominant en gras avec ses 70 % d'hydrates de carbone et son taux de 5%, insaturés à 70 % surtout contenus dans le germe, dont la teneur en lipides est de 35 % alors qu'elle n'est que de 1% pour le son. Sa consommation peut agir contre l'athéromatose.

Vu sa déficience en lysine et en tryptophane, la consommation régulière de cette céréale à table peut susciter le pellagre.

Sa teneur en lipides est de 35 %, alors qu'elle n'est que de 1 % pour le son.

CHAPITRE 8

LES GRAINES

······································

LE SÉSAME ENTIER

L es graines de sésame sont très populaires en Asie, en Europe et en Afrique du Nord. Leur grande valeur nutritive fait de ces graines un tonique pour le foie et les reins. Leur consommation régulière aide à combattre les troubles des intestins et les problèmes de peau.

Riche en méthionine, en calories, en protéines et en matières grasses, le sésame fortifie les nerfs et les muscles.

Valeur nutritive du sésame

% ou g pour 100 g	
Matières grasses	49 g
Hydrates de carbone	22 g
Protéines	19 g
Fibres	6 g
Calories	562

Le sésame noir

Possédant les mêmes caractéristiques que les graines de sésame entières, le sésame noir est fortement recommandé pour les traitements contre la constipation, les problèmes de foie, pour les régimes amaigrissants et pour purifier le sang.

Le sésame décortiqué

Il possède à peu près les mêmes caractéristiques que le sésame entier. Il est cependant déficient en lysine. Le sésame décortiqué est pourvu d'une haute teneur en fer, en potassium, en vitamines B complexes et E, en calcium et en lécithine.

Grâce à sa haute teneur en gras insaturé et à ses minéraux, il réduit les problèmes liés au cholestérol, à l'arthrite, à l'arthrose et autres troubles circulatoires. La graine de sésame décortiquée aide à la digestion, purifie le sang et réduit l'acidité.

Ses matières grasses se composent de:
– 89 % d'acides gras insaturés;
– 39 % d'acides gras monoinsaturés;
– 46 % d'acides gras polyinsaturés.

Valeur nutritive du sésame décortiqué

% ou g pour 100 g	
Protéines	19 g
Hydrates de carbone	19 g
Matières grasses	54 g
Fibres	2 g
Calories	587

Le sésame moulu

La graine de sésame perd de sa valeur nutritive lors du broyage. La poudre de sésame offre l'avantage d'être absorbée plus rapidement par le système digestif.

Le tournesol

Le tournesol est un aliment très nutritif, riche en acides gras polyinsaturés. Il contient beaucoup de protéines, des minéraux, fer, calcium, phosphore, cuivre, potassium, des vitamines A, B, E et de la lécithine. La graine de tournesol contient aussi de la pectine.

Ses matières grasses se composent de:
– 89 % d'acides gras insaturés;
– 20 % d'acides gras monoinsaturés;
– 69 % d'acides gras polyinsaturés.

Valeur nutritive du tournesol

% ou g pour 100 g	
Protéines	23 g
Matières grasses	50 g
Hydrates de carbone	19 g
Fibres	4 g
Calories	570

La consommation régulière du tournesol permet de soulager rapidement rhume et toux, d'améliorer la vision, de diminuer la rétention d'eau, d'abaisser le taux de cholestérol, de calmer l'asthme, de réduire l'anémie et les ulcères d'estomac.

La graine de citrouille

La graine de citrouille est aussi riche que les graines de tournesol et de sésame. Elle contient une quantité importante de fer, de phosphore et de vitamines B. Elle a un effet diurétique et réduit les infections urinaires et les problèmes de prostate. La graine de citrouille serait aussi aphrodisiaque.

Valeur nutritive de la graine de citrouille

% ou g pour 100 g	
Protéines	25 g
Hydrates de carbone	14 g
Matières grasses	46 g
Fibres	2 g
Calories	550

La graine de chanvre

Le chanvre est un calmant naturel qui soulage le surmenage du système nerveux, la migraine et la toux. C'est une excellente source d'acides gras essentiels et de protéines complètes.

Valeur nutritive de la graine de chanvre, pour 10 g

Calories	80 cal
Protéines	5,0 g
Matières grasses	6,6 g
Cholestérol	0
Glucides	1,5 g

Ses matières grasses se composent:
- d'acide linoléique   3,0 g;
- d'acides gras polyinsaturés   5,0 g;
- d'acide linolénique   1,2 g;
- d'acides gras monoinsaturés   0,9 g;
- d'acides gras saturés   0,7 g.

CHAPITRE 9

LES NOIX

··

*L*es noix sont généralement riches en vitamine E et elles ont une haute teneur en vitamines B. Elles nourrissent le système nerveux.

La noix de coco

La noix de coco pousse dans tous les pays chauds, principalement en Amérique du Sud, en Asie et au Viêt-nam, qui en est le plus grand producteur.

L'eau de coco contient:
– 2 % de dextrose;
– 21 % de protéines.

L'eau de coco est riche en saccharose et en minéraux, potassium, magnésium, calcium, sodium et phosphore. Elle aide à réduire le taux de sodium, augmente les urines et favorise la perte de poids.

Le lait de coco, qui est extrait du blanc de coco frais, contient des acides aminés et des hydrates de carbone qui favorisent la croissance des parois cellulaires.

L'huile de coco, extraite des fibres de coco, réduit la croissance des virus comme le staphylocoque. Cette huile, contenant 86 % de gras polyinsaturés et 7 % de gras mono-insaturés, génère du mauvais cholestérol et ne doit pas être utilisée pour cuisiner.

Noix diverses

La noix du Brésil, la noix de Grenoble, la noisette, l'amande, la noix de cajou, la noix de pacane et le pignon (noix de pin) sont riches en vitamines B, E et A.

CHAPITRE 10

LES LÉGUMINEUSES

••

es légumineuses, séchées ou fraîches, sont très riches en protéines comparables à la protéine animale. Cependant, certaines particules d'amidon non dissoutes par les sucs digestifs forment des gaz qui entraînent une inflammation du côlon.

À l'abri de la lumière et de l'humidité, les légumineuses peuvent s'entreposer pendant des années.

LES LÉGUMINEUSES

Le soya

Cette fève est l'une des plus nourrissantes. Sa teneur en protéines est aussi élevée que celle de la viande. Le soya contient jusqu'à 15 % d'amidon. La fève de soya contient jusqu'à 25 % d'une huile riche en acide linoléique. Pressée à froid, elle contient 60 % d'acides gras polyinsaturés, qui favorisent la souplesse et la vigueur des artères.

La fève de Lima, la fève mung, la fève rouge

La fève de Lima contient des vitamines A, B, C et E. Les fèves mung fournissent de la carotène, de la vitamine B et de l'acide folique. Les fèves rouges possèdent une assez bonne teneur en vitamine C et sont une bonne source d'acide folique.

CHAPITRE 11

LES RACINES

LA BETTERAVE

Le sucre de la betterave est utilisé en alimentation. La betterave est riche en potassium (335 mg/100 g) et aide à détruire les vers intestinaux.

LA CAROTTE

La carotte est très riche en glucides, en vitamine A (11 000 IU par 100 g) et en potassium (341 mg par 100 g). Diurétique, elle favorise l'élimination. Elle éclaircit le teint et stimule la production de globules rouges. La carotte fortifie le foie et les yeux.

LA POMME DE TERRE

La pomme de terre est riche en potassium (407 mg par 100 g) et, contrairement à la croyance populaire, elle est faible en calories (76 cal par 100 g). La pomme de terre moisit et germe rapidement. Il est conseillé de la consommer fraîche. Germée, elle est nocive et peut même être cancérigène.

CHAPITRE 12

LES LÉGUMES

....

*L*es légumes apportent la dose quotidienne de sels minéraux et de vitamines, notamment A et C. Plus le légume perd de sa fraîcheur, plus il perd ses vitamines. La cuisson détruit également les vitamines.

Les légumes stimulent naturellement le mouvement péristaltique de l'intestin et régularisent les selles.

Les légumes surgelés conservent mieux leurs vitamines à la cuisson, car celle-ci est moins longue que celle des légumes frais. Les légumes déshydratés conservent une partie de leurs vitamines. Les légumes verts ne contiennent pas d'amidon.

Il est conseillé de ne pas conserver trop longtemps au réfrigérateur certains légumes: brocoli, épinards, bette à carde, laitue, céleri, concombre, oignon, cresson et chou. Leur haute teneur en eau les fait moisir facilement.

L'AIL

L'ail est riche en calories (137 cal par 100 g), en phosphore (202 g par 100 g) et en potassium (529 mg par 100 g). C'est une excellent source de sélénium.

L'ail possède de grandes vertus curatives: il aide à équilibrer la tension artérielle, à soigner les rhumes, la toux et l'asthme, à combattre les vers intestinaux, la coqueluche, la dysenterie, les gastroentérites et même la tuberculose et le diabète.

La présence de germanium dans l'ail s'avère efficace pour prévenir et même combattre le cancer. L'ail aide aussi à éliminer les métaux lourds, plomb, mercure, cadmium, etc., introduits dans l'organisme. Sa consommation quotidienne en fait un excellent antiviral, antifongique et antiseptique.

Pour bénéficier de sa valeur complète, il est recommandé de le manger cru. Arrosé de quelques gouttes d'huile d'olive et de lime, accompagné de graines et tartiné sur du pain de seigle, il constitue une excellente collation.

LE CÉLERI

Le céleri est riche en potassium (341 mg par 100 g) et en vitamine A (240 IU par 100 g). Sa consommation régulière réduit les troubles d'incontinence, du foie et les rhumatismes.

Stimulant, le céleri tonifie le système nerveux. Ce légume est diurétique, il aide à éliminer l'eau retenue dans les tissus. On attribue au céleri des propriétés aphrodisiaques.

LE CHOU ET LA CHICORÉE

Le chou contient beaucoup de potassium (233 mg par 100 g) et de vitamine A (130 IU par 100 g). Il contient aussi une substance qui diminue les risques de goitre.

La chicorée est une sorte de laitue qui, par sa haute teneur en protéines et en potassium, constitue un excellent tonifiant.

LA CITROUILLE ET LES COURGES

La citrouille, aujourd'hui fort mal connue, était très consommée autrefois. Sa chair fibreuse fournit une haute teneur en calories, en glucides et en protéines. Son taux de potassium est de 340 mg par 100 g et de vitamine A, de 1 600 IU par 100 g.

L'ESTRAGON

On utilise les feuilles d'estragon comme condiment. Sa consommation stimule l'appétit, la sécrétion des sucs gastriques et la digestion. Ses feuilles fraîches aident à réduire les troubles vasculaires et la sclérose.

L'OIGNON

L'oignon contient des huiles essentielles, du sucre, des vitamines et des minéraux.

Malgré un aspect peu invitant, ce bulbe à saveur et à odeur très prononcées possède de grandes vertus curatives. Sa consommation permet de contrôler la toux, le rhume, le catarrhe (inflammation des muqueuses des fosses nasales, rhume du cerveau) et les vers intestinaux.

En application, il aide à soulager des piqûres d'insectes.

LA SAUGE

La sauge est une plante aux propriétés médicinales et aromatiques. Elle stimule l'appétit, régularise le foie, les reins et le cycle menstruel. Elle stabilise les troubles rattachés au système nerveux. En infusion, elle adoucit les maux de gorge, les laryngites et les ulcères buccaux.

CHAPITRE 13

LES ALGUES

··

LES CHAMPIGNONS: REISHI (*BLACK FUNGUS*) OU SHITAKÉ

Les champignons

- Les champignons blancs cultivés sont comestibles.
- Pour les champignons sauvages, il faut être prudent, surtout si on ne les connaît pas.
- Les champignons cultivés contiennent 5 % de protéines.
- Les champignons sauvages contiennent 3 % à 10 % de protéines.
- Les champignons sauvages comestibles doivent être consommés frais et bien lavés ou trempés dans de l'eau salée pour en déloger les larves d'insectes, qui peuvent provoquer des problèmes digestifs.

Test de toxicité avant d'utiliser des champignons sauvages:
- Porter le champignon à l'ébullition avec un blanc d'œuf ou un oignon; s'il noircit, ne pas le consommer.
- S'il y a un changement de couleur au contact de l'air, ne pas le consommer.
- S'il y a un changement de couleur lorsqu'on le plonge dans l'eau salée, ne pas le consommer.

Il faut connaître les espèces de champignons et être sûr qu'il ne sont pas toxiques avant de les utiliser.

Reichi «black fungus» et Shitaké:

Populaires en Asie, ils sont appréciés sur le plan médicinal.

Ils contiennent des acides aminés et une forte proportion de polysaccarides, qui accroissent la vitalité de l'organisme et en assurent la protection.

Ils sont riches en potassium, phosphore, silice, magnésium, calcium et soufre.

Ils sont connus comme antioxydants et anticancéreux.

LES ALGUES

Ces plantes aquatiques se développent aussi bien en eau douce qu'en eau salée. Ce sont des légumes d'eau. Très répandues en Orient, elles ont la réputation d'être un remède à toutes les maladies.

Les algues se présentent fraîches ou séchées, entières ou en poudre. On les utilise surtout comme assaisonnement.

Plusieurs types d'algues sont comestibles: hijiki, aramé, wakamé, mékabu, kombu, varech, nori, dulse, etc. Les algues, riches en minéraux, potassium, phosphore, silice, magnésium, calcium et soufre, favorisent la cicatrisation, la guérison et la lutte contre les bactéries.

Valeur nutritive des algues (% ou g) pour 100 g:

Protéines	Gras	Glucides

L'aramé pousse généralement sur les rochers, au niveau de la mer.

Protéines	Gras	Glucides
9	T	56

La wakamé pousse dans la mer, en eau profonde, et est très riche en calcium.

Protéines	Gras	Glucides
13	3	46

La kombu est très riche en calcium, en fer, en potassium et en iode.

Protéines	Gras	Glucides
6	1	56

La hijiki pousse sur les rochers, un peu sous le niveau de la mer.

Protéines	Gras	Glucides
8	T	56

Le varech, qui pousse principalement sur les côtes du Pacifique et de l'Atlantique, est très riche en iode.

Protéines	Gras	Glucides
2	1	10

La laitue de mer est verte et foliacée.

Protéines	Gras	Glucides
17	1	37

L'agar-agar, extraite de certaines algues rouges, est très riche en fer et souvent utilisée comme laxatif. En cuisine, elle peut remplacer la gélatine.

Protéines	Gras	Glucides
6	T	81

La rhodyménie palmée, qui se développe dans les eaux froides, sur le bord des côtes rocheuses, est très riche en fer.

Protéines	Gras	Glucides
20	3	44

La mousse d'Irlande sert à fabriquer un polysaccharide épaississant appelé carraérine.

Protéines	Gras	Glucides
1	T	12

La Nori est riche en vitamine A.

17 **1** **36**

La salicorne, qui se trouve sur le littoral et dans les marais, peut se manger crue, en salade.

La spiruline, une algue bleu-vert des eaux douces peu profondes d'Afrique, du Pérou, d'Hawaï et du Mexique, a un haut taux de protéines. Très riche en chlorophylle, en bêta-carotène, en fer, en vitamines B_1, B_{12} et en magnésium, elle contient très peu de méthionine et d'acide linoléique; elle se consomme comme supplément alimentaire ou comme condiment.

60 **6** **18**

La dulse, transformée en polysaccharide épaississant la carraghenine, est utilisée pour certains produits alimentaires comme la crème glacée.

CHAPITRE 14

LES FRUITS

••••••••••••••••••••••••••••••••••••••

L es fruits procurent naturellement un sucre très savoureux. Faciles à digérer, ils offrent une qualité exceptionnelle de vitamines et de minéraux.

Nous pourrions uniquement nous nourrir de fruits mûris sur l'arbre si nous vivions dans des climats tropicaux, car ils fournissent beaucoup de vitamines, notamment C, et A et des minéraux.

Leur contenu en sodium et en potassium confère aux fruits un effet alcalinisant. Les raisins et les abricots sont riches en fructose et en glucose, les pêches, en saccharose et les pommes, en fructose. Tous les fruits sucrés contiennent des sucres naturels équilibrés.

LA BANANE

La banane contient 20 % d'hydrates de carbone, 1 % de protéines et une trace de matières grasses. Lorsqu'elle est verte, elle contient de l'amidon qui se transforme en saccharose et en lactose lorsqu'elle mûrit.

Riche en vitamines A, B_1, et C, en minéraux, phosphore, magnésium, potassium, fer et zinc, elle contient peu de sodium. À cause de son taux de sucre, elle n'est pas recommandée à ceux qui souffrent d'hypoglycémie et de diabète.

LA POMME

La plus grande partie de la vitamine C et de la cellulose de la pomme se trouve dans sa peau; il est donc recommandé de la manger, après l'avoir bien nettoyée. Riche en minéraux, magnésium, potassium, en pectine et en vitamine A, elle aide à la digestion, tonifie les bronches et réduit la constipation, les troubles articulaires, la goutte.

LES PRUNES ET LES CERISES

La prune est un laxatif naturel. La chair de la cerise contient des fibres qui peuvent provoquer des problèmes de digestion et de diarrhée si on en consomme trop.

LA PÊCHE

La pêche contient beaucoup de vitamine A (1 300 IU par 100 g), de potassium (202 mg par 100 g) et de protéines. Sa chair, très fragile, doit être consommée rapidement.

L'ORANGE

L'orange contient beaucoup de vitamines C et P et de potassium. Énergisant naturel, l'orange est aussi un fortifiant pour les vaisseaux sanguins. Elle rétablit l'équilibre du système nerveux et favorise les échanges cellulaires.

LA PAPAYE

La papaye bien mûre contient des vitamines A, B, C et des minéraux, phosphore, calcium et potassium, et un peu de protéines (6 g par 100 g). La papaye se révèle un excellent laxatif naturel. Elle régularise les fonctions intestinales et réduit les irritations, les diarrhées et les colites. Ses pépins favorisent l'élimination des vers intestinaux.

LE PAMPLEMOUSSE

Le pamplemousse contient un peu de protéines (5 g par 100 g) et d'hydrates de carbone (11 g par 100 g), des minéraux, potassium, fer, calcium, magnésium et phosphore, et beaucoup de vitamines A et C.

Les fruits mûris sur l'arbre sont beaucoup moins acides et plus faciles à digérer.

LE BLEUET (OU MYRTILLE)

Le bleuet contient beaucoup de vitamines A et C, du sodium et des fibres. Il renferme des acides oxaliques, maliques, citriques et anthocyanides. Ces petits fruits sont naturellement astringents, antibactériens et antidiarrhéiques. Leur consommation régulière constitue un excellent traitement contre les infections urinaires. Le bleuet est reconnu pour renforcer la vision.

LA MÛRE

La mûre, petit fruit au goût acidulé, de couleur noire, rouge foncé, jaunâtre ou violacé, est une excellente source de vitamine C, de potassium, de magnésium et de cuivre. Elle est reconnue pour ses qualités astringentes et laxatives.

Sa valeur nutritive pour 100 g

eau	86 %
protéines	0,7 g
matières grasses	0,4 g
glucides	13 g
fibres	4,6 g
calories	51

LES RAISINS SECS

Les raisins secs constituent une excellente source de vitamines. Par leur fructose, ils permettent de refaire rapidement le plein d'énergie. Les raisins secs offrent une grande source de minéraux, potassium, fer, magnésium, cuivre, calcium, phosphore, zinc, et de vitamine C.

Lorsqu'il est séché, le raisin est bien souvent recouvert de sulfite (sel de l'acide sulfureux). Les raisins secs offrent quatre à cinq fois plus de nutriments que lorsqu'ils sont frais. C'est la raison principale pour laquelle ils sont une excellente source d'énergie, car leurs glucides ne se métabolisent pas.

Leur taux de sucre étant plus élevé, il est important de se brosser les dents après leur consommation afin d'éviter la formation de caries dentaires.

CHAPITRE 15

LE LAIT ET LES PRODUITS LAITIERS

··

LE BEURRE

Fabriqué avec de la crème fraîche après une agglomération des globules graisseux, le gras du beurre est constitué de triglycérides qui peuvent être dangereux pour le fonctionnement cardiaque.

LE BABEURRE

Résidu de la crème séparée du gras lors de la fabrication du beurre, le babeurre contient de la caséine, une protéine nourrissante et facile à assimiler puisque le lactose a subi une fermentation. Il est conseillé pour les bébés, les enfants et les adultes qui ont une digestion difficile.

LA CRÈME GLACÉE

Fabriquée à partir de lait additionné de sucre, de farine, d'œufs, d'épaississants et de saveurs naturelles ou artificielles, les crèmes glacées entraînent des inconvénients de santé proportionnels à la longueur de leur liste d'ingrédients! On peut faire une crème glacée valable à base de lait non contaminé en y ajoutant quelques aliments sains pour en rendre le goût agréable.

LES FROMAGES

Le fromage est riche en protéines et en calcium, surtout lorsqu'il est frais et blanc. Les fromages longuement fermentés, comme le camembert, ont un goût très prononcé, sont peu favorables à la nutrition et peuvent causer des gastrites (inflammation des muqueuses de l'estomac).

LE YOGOURT

Préparé à partir de lait sain, consommé nature et faible en gras surtout, il est un apport pour la santé. Sa fermentation le rend facile à digérer. Ses protéines et son calcium deviennent ainsi mieux assimilables.

LE LAIT CONDENSÉ ET CONCENTRÉ

Le lait condensé est un lait non sucré, qui possède une couleur blanchâtre et une odeur de lait frais. Il se vend en boîte de conserve.

Le lait condensé sucré est un lait très sucré de couleur jaunâtre, qui sert principalement à la confection des desserts. Ce lait comporte de forts risques de fermentation. Le sucre ajouté diminue grandement sa valeur nutritive de base.

Le lait concentré est un lait condensé par une évaporation partielle de son eau. Cette opération détruit et altère son contenu en vitamine C et rend ses protéines plus indigestes.

LE LAIT EN POUDRE

Obtenu par l'évaporation de l'eau contenue dans le lait entier ou écrémé, le lait en poudre constitue une bonne source de protéines. Gardé dans un endroit sec, il se conserve longtemps.

Le lait en poudre peut remplacer le lait maternel. Il peut aussi causer de la constipation chez certains bébés. Pour éviter ce problème, mélanger dans un verre moitié de lait en poudre et moitié eau de son d'avoine, complétées de lécithine en granules.

L'ABUS DE LAIT ET SES DANGERS

Les enfants qui consomment trop de lait manifestent des retards psychomoteurs et peuvent même souffrir d'anémie. L'anémie nutritionnelle causée essentiellement par un manque de fer entraîne un retard de croissance et une forte diminution du système immunitaire. Une alimentation trop riche en produits laitiers suscite une carence en fer.

Les problèmes psychomoteurs chez les bébés de 8 à 19 mois sont souvent dus à une alimentation essentiellement composée de lait, allant jusqu'à 2 litres par jour. Ce type d'alimentation peut causer une calcification, et des problèmes rénaux et cardiovasculaires.

Les adultes qui consomment trop de lait (jusqu'à 2 litres par jour) peuvent avoir plusieurs problèmes de santé: teint pâle, troubles digestifs, douleurs abdominales, coliques, ulcères gastriques, calculs rénaux, douleurs articulaires et problèmes coronariens.

CHAPITRE 16

LES PLANTES MÉDICINALES

•••••••••••••••••••••••••••••••••••••

$\mathcal{L}$ es plantes médicinales sont utilisées sous différentes formes, pour le traitement interne et externe de divers symptômes.

LES PLANTES STIMULANTES ET DIGESTIVES

Le gingembre, un stimulant, est notamment utilisé pour soulager les refroidissements et les douleurs musculaires. Il facilite la digestion, prévient les gaz, ballonnements et colliques, et réduit les nausées.

Appliqué en cataplasme, consommé frais ou mélangé à du jus de citron et un peu de miel, le gingembre soulage les bronches et les voies respiratoires encombrées.

La menthe poivrée soulage refroidissements, fièvre, migraines, maux de gorge et nez bouché. Utilisée en feuilles fraîches ou infusée, la menthe tonifie le système digestif, stimule l'appétit et prévient les gaz.

La fleur de chrysanthème indien soulage inflammations, conjonctivite, tuberculose, dysenterie, hypertension, migraine, vertiges et même hépatite. Elle est efficace pour combattre l'insomnie.

LES PLANTES EXPECTORANTES
ET ANTI-ASTHMATIQUES

Les règles du Japon, les noix de gimko-biloba, les graines de moutarde blanche, le noyau d'abricot et la graine de pavot soulagent les troubles de la toux, l'asthme bronchite et la diarrhée.

Les bulbe lis, la citronnelle, la fleur de tussilage et le bulbe de fenouil soulagent la toux et la pneumonie, réduisent les gaz intestinaux et les douleurs gastriques et abdominales.

Le bulbe lis, un sédatif, soulage toux, insomnie, et stimule les neurones.

LES PLANTES MÉDICINALES
ANTI-INFLAMMATOIRES

La lobélie, anti-inflammatoire et diurétique, soulage les inflammations de la muqueuse intestinale (entérite), qui s'accompagnent souvent de diarrhée.

La scutellaire, anti-inflammatoire et diurétique, fait baisser la fièvre, favorise la désintoxication et soulage les piqûres.

L'olive chinoise soulage enrouement, maux de gorge et sécheresse au pharynx.

Le houblon, diurétique et sédatif, fait baisser la fièvre, facilite la désintoxication, et soulage dysenterie et insomnie.

LES PLANTES ANTI-RHUMATISMALES

Comme la cayenne, le bouleau, l'actée à grappe noire ou bleue, la bardane, le céleri, le lobélie, l'ortie, la salsepareille, la racine de parelle, la racine d'angélique et la gentiane servent à atténuer les maux reliés aux rhumatisme.

La racine d'angélique, analgésique et calmante, soulage les douleurs liées aux rhumatismes, notamment pour les parties inférieures du corps et les crampes musculaires.

La racine de gentiane à grandes feuilles soulage douleurs rhumatismales et inflammations reliées aux allergies.

L'écorce de bouleau purifie le sang, soulage rhumatismes, goutte, et combat les vers intestinaux.

La cayenne, stimulant antiseptique, antispasmodique, antiasthmatique, antisudorifique et anti-inflammatoire, purifie l'organisme, réduit la fièvre, soulage constipation et refroidissements, active la circulation, la congestion nasale et l'irritation de la gorge et réduit l'hypertension artérielle.

La cayenne, irritante, n'est pas recommandée à ceux qui ont le système digestif irrité et souffrent de colite ulcéreuse, maladie de Crohn, diverticules ou hémorroïdes.

L'actée à grappe noire, expectorant, antispasmodique, astringente, soulage les douleurs de l'accouchement, les retards menstruels, le rhumatisme, et réduit l'hypertension, la congestion du foie et des reins.

Il n'est pas recommandé d'en prendre pendant une grossesse.

L'actée à grappe bleue soulage syndrome prémenstruel, vaginites, crampes et coliques, et facilite l'accouchement.

L'orobanche de Virginie soulage menstruations abondantes, leucorrhée, rhumatisme, névralgie, vaginites et facilite l'accouchement.

La bardane diurétique purifie le sang et soulage goutte, infections de la peau, rhumatisme, sciatique, aide à perdre du poids et stimule la croissance des cheveux.

L'ortie, tonifiant et diurétique, aide à dissoudre les calculs rénaux, soulage névralgies, règles douloureuses, diarrhée, hémorragies, hémorroïdes et rhumatisme, combat les vers intestinaux, prévient la chute des cheveux et constitue un excellent tonique.

La salsepareille, stimulante et anti-scorbutique, purifie le sang, réduit inflammation, catarrhe, fièvre et gaz à l'estomac ou aux intestins, éruptions cutanées, psoriasis, infections, et combat les vers intestinaux.

LES PLANTES POUR RÉCHAUFFER LE CORPS

L'écorce de cannelle

Utilisée en décoction, elle réchauffe les organes vitaux, principalement ceux responsables des fonctions vitales, soulage la diarrhée chronique et les œdèmes (infiltration séreuse d'un tissu) causés par une surproduction des reins, et les maux de ventre dus au froid.

Le gingembre séché

Il réchauffe l'estomac et la rate, tout en prévenant les nausées, les vomissements, les douleurs abdominales, les diarrhées et les problèmes de poumons lors de bronchites chroniques.

Le galanga

Le rhizome est fréquemment utilisé pour réchauffer l'estomac.

Le clou de girofle

Le clou de girofle est utilisé pour réchauffer l'estomac. En poudre, il se montre efficace pour calmer les maux de dents.

L'écorce de cannelle, le gingembre séché, le galanga et le clou de girofle sont utilisés pour soigner les maux de ventre dus au froid, la nausée, le vomissement et la diarrhée.

LES PLANTES DIURÉTIQUES

Le chiendent, cette «mauvaise herbe» diurétique calmante et dépurative, soulage aussi les infections urinaires.

La barbe de maïs, diurétique, combat infections urinaires, troubles rénaux reliés et inflammation de la prostate.

Le raisin d'ours soulage infections urinaires et troubles renaux.

Le buchu soulage douleurs urinaires et troubles de vessie.

La graine de céleri aide à éliminer les toxines et à réduire les dépôts d'acide urique.

Le genévrier aide à éliminer les déchets acides, soulage infections urinaires, douleurs arthritiques et goutte, réduit coliques et gaz et stimule les contractions de l'accouchement.

Le plantain, diurétique et antibactérien, réduit œdème, furoncles, dysenterie et infections pulmonaires et urinaires.

La busserole, diurétique, aide à éliminer les calculs et les infections urinaires.

LES PLANTES FAVORISANT L'ALLAITEMENT

Le chiendent, diurétique, augmente la production de lait maternel.

L'aneth, carminative, diminue les gaz, favorise l'élimination et stimule la production du lait maternel.

Le fenouil, carminatif, antispasmodique et analgésique, réduit troubles intestinaux, gaz, diarrhées, et active la production du lait maternel.

L'igname réduit nervosité et problèmes urinaires, nausées durant la grossesse et atténue la douleur à l'accouchement.

LES PLANTES POUR ÉLIMINER LES VERS INTESTINAUX

Le thé du Mexique (ambroise, épazote), la **grande camomille, la tanaisie** commune et **l'absinthe** aident à éliminer les parasites intestinaux.

Toutes ces plantes qui contiennent du tanin sont à prendre à faibles doses et à utiliser avec prudence.

LES PLANTES MÉDICINALES COMMUNES

Les tangerines la pelure et les graines de la tangerine servent à augmenter l'énergie vitale. Elles sont conseillées pour un engorgement du foie et comme expectorant.

L'aigremoine, astringente, soulage catarrhes gastriques et diarrhée, favorise la sécrétion des sucs gastriques et aide à éliminer les calculs rénaux.

Le millefeuille, tonifiant, dépuratif, astringent et antiseptique, aide à purifier le sang, et soulage irritation et oreille qui coule.

Le caille-lait, antiseptique, antispasmodique et diurétique, soulage les troubles urinaires et les crampes.

Le marronnier d'Inde soulage diarrhée et dysenterie.

La guimauve, officinale, antitussive et expectorant, émolliente et sédative, combat les troubles gastrointestinaux.

L'armoise commune aide à guérir troubles nerveux, insomnies et syndrome prémenstruel.

La bourrache, diurétique, combat les inflammations urinaires, soulage les voies respiratoires et l'enrouement, et calme les asthmatiques nerveux.

La bruyère, sédative et diurétique, soulage les inflammations urinaires, les troubles rénaux et l'inflammation de la prostate.

La bourse à Pasteur, astringente, hémostatique et antihémorragique, soulage malaises d'estomac et règles difficiles.

Le bleuet, stimulant, soulage les troubles gastriques.

La camomille romaine, anti-inflammatoire, antiseptique et diaphorétique, combat le syndrome prémenstruel, les crampes, et aide à détendre le système nerveux.

La camomille allemande, anti-inflammatoire, antiseptique, diaphorétique, calmante et sudorifique, soulage fièvres infantiles, grippe et gaz intestinaux.

La chicorée commune soulage les troubles digestifs, calculs biliaires et rénaux.

Le charbon béni, astringent, carminatif et antibiotique, déconseillé aux femmes enceintes, stimule la sécrétion biliaire et les fonctions hépatiques.

Le safran combat saignements, vertiges, ulcères et problèmes cutanés.

L'aubépine soulage migraines, nervosité et insomnie, et facilite la ménopause et la nervosité.

La prêle des champs, anti-inflammatoire, combat saignements de nez et artériosclérose.

La gentiane jaune soulage les maux de tête, stimule les sécrétions gastriques et favorise le fonctionnement du foie et de la vésicule biliaire.

L'hysope officinale soulage troubles respiratoires, toux, coqueluche, bronchite et asthme.

Le curcuma (ou tuméric) combat les malaises aux poumons et les douleurs liées au foie.

La chrysanthème soulage migraine, dysenterie et troubles du foie et combat inflammations, vertiges et conjonctives.

LES RACINES MÉDICINALES

L'igname chinois active la rate, l'estomac, stimule l'appétit, combat la diarrhée, la toux sèche, les troubles rénaux, l'énurésie et la leucorrhée.

La racine d'angélique, tonifiante, stimule la circulation, combat migraines, névralgies, rhinites et sinusites et troubles menstruels liés à la ménopause.

Le ginseng, réputé aphrodisiaque, le ginseng est également reconnu pour ses capacités à maintenir l'énergie et assurer une longévité acrrue. Le ginseng est principalement cultivé au nord de la Chine, en Russie, en Corée et au Japon.

Plusieurs types de ginseng sont cultivés dans le monde. Par exemple, le Panax croît dans les forêts d'Asie, du Népal jusqu'en Mandchourie; le *Pana Japonians* pousse au Japon et le *Pana pseudo-ginseng* est cultivé dans l'Himalaya, en Inde et au Népal. Le *Pana quinquelofium* pousse dans certains États du nord des États-Unis, mais aussi en Caroline, au Tennessee, au Mississipi et au Canada. Le ginseng sibérien ou *Eleutherococcus senticosus* croît en Russie.

Le ginseng le plus prisé pousse en Mandchourie, sur les flancs de la montagne Chang-Pai, il est reconnu pour détendre le système nerveux, prévenir la fatigue et favoriser la concentration. Il faut attendre trois ans de culture avant que le ginseng acquière la teneur en minéraux essentielle aux besoins humains.

Dans la pharmacopée chinoise, deux types de ginseng sont employés: le ginseng blanc et le ginseng rouge. Séchée au grand soleil, la pelure extérieure du ginseng blanc tombe, tandis que, séchée à la vapeur, celle du ginseng rouge garde sa couleur.

Le ginseng contient des acides gras, des vitamines et plusieurs sucres comme du glucose, de l'arabinose, de la rhamnose et des glycérides.

La racine de ginseng blanc associée à des vitamines est utilisée pour augmenter l'énergie, lutter contre les faiblesses du métabolisme des malades, et surtout pour accroître la longévité.

Selon le Dr Stephen Fulder, le ginseng joue un rôle important dans le maintien en bon état du système nerveux central et des réflexes oculaires. Ainsi, le ginseng tonifie le système digestif, stimule l'appétit et favorise un meilleur contrôle du stress et de la circulation sanguine, ce qui contribue à un meilleur sommeil. Il aiderait aussi à diminuer la douleur après une opération ou à la suite d'une blessure. Il aiderait également à combattre le diabète, en faisant diminuer le taux de sucre de 40 à 50 %.

Parmi ses nombreuses propriétés, on note aussi qu'il agit sur l'intestin et combat les ulcères d'estomac, diminue le mauvais cholestérol, augmente les pouvoirs de mémorisation, de concentration et d'énergie. Il est réputé pour prévenir les crises cardiaques par manque d'oxygène et pour combattre la coagulation sanguine et la basse pression.

La saponine que l'on trouve dans le ginseng a pour effet de réduire le cholestérol et l'hypertension; elle agit aussi comme régulateur de la circulation sanguine, aide à diminuer les risques d'athérosclérose, et procure également une protection efficace contre le cancer et les effets des radicaux libres sur le métabolisme.

Le panax ginseng et le ginseng américain sont plus yin que le ginseng d'Asie (Yang). Le ginseng que l'on trouve sur nos étals est surtout du ginseng américain, car le ginseng asiatique (de Chine ou de Corée) est une denrée rare; il faut donc se méfier des étiquettes.

Ainsi, le ginseng sauvage de Chine ne peut être vendu en Amérique à cause de son prix tout à fait prohibitif, tandis que le ginseng blanc sauvage de Mandchourie est, pour sa part, réservé à la famille royale. Les ginseng blanc et rouge vendus en Chine et en Corée sont des produits cultivés.

Le ginseng américain ou du Japon, cultivé de façon industrielle un peu partout dans le monde, n'a pas les valeurs et les qualités de son cousin sauvage d'Asie, mais il peut être utilisé en cuisson pour rehausser la saveur des mets.

Pour connaître la qualité d'un ginseng, il suffit de faire un petit test très efficace. Gardez un morceau de ginseng dans la bouche en faisant du jogging ou en jouant au tennis, en dansant, ou en faisant une longue promenade. Si vous constatez que vous avez plus de résistance et d'énergie, c'est que le ginseng est de bonne qualité.

Le ginseng américain

Tonique, il renforce l'énergie en réduisant la chaleur à l'intérieur du corps. Il se montre utile pour lutter contre une baisse de la température corporelle, dans l'après-midi. Il est aussi efficace pour soigner les énurésies et la fatigue due aux maladies chroniques. Il est réputé anti-cancérigène.

Comment utiliser du ginseng et pourquoi?

La bonne utilisation du ginseng dépend du métabolisme de chaque individu. Puisqu'il s'agit d'un tonique yang, il n'est pas conseillé à ceux qui relèvent du yang. Par exemple, une personne pleine d'énergie, ayant un travail très physique, qui mange de la viande, boit de l'alcool, consomme du fromage, du café, du chocolat, du sucre, du gras animal et qui fume n'obtiendra aucuns résultats positifs en consommant du ginseng.

Le ginseng est recommandé en cure de 3 à 6 mois aux personnes:
- qui ont un système digestif faible ou manquent d'appétit;
- qui se fatiguent vite, dont le système immunitaire est faible ou qui suent facilement;
- qui ont un système nerveux défaillant, souffrent d'insomnie, font des cauchemars, ont des pertes de mémoire, font de l'anémie ou sont atteintes de dysenterie;
- qui ont des faiblesses aux poumons, manquent de résistance, font de l'asthme, ont une respiration courte ou souffrent de toux chronique;

- qui ont souvent soif, font du diabète et veulent contrôler leur taux de sucre;
- qui ont une affection du myocarde, notamment une faiblesse après une opération;
- qui ont des troubles de la circulation sanguine;
- qui sont en proie à un surmenage intellectuel (ou la fatigue physique pour les chauffeurs de camions, les travailleurs de nuit, les artistes du spectacle qui sont toujours en mouvement, les grands sportifs et les alcooliques);
- qui ont des troubles de mémoire ou de concentration;
- qui veulent contrôler leur stress, soigner une dépression ou combattre des atteintes cérébrales;
- qui veulent lutter contre un problème d'impuissance du à la vieillesse, à une affection cardiaque ou à une perte d'énergie.

Consommation de ginseng cultivé

Dose quotidienne recommandée
(en morceauxou en poudre)

- Pour les Asiatiques et les gens en parfaite santé: 1 g par jour ou un morceau (déjà coupé et conservé dans une boîte).
- Pour les personnes âgées ou les gens très faibles: 1 g ou un morceau le matin et le soir.
- Pour les Occidentaux en général: 2 g ou 2 morceaux par jour.

La consommation de ginseng sauvage doit se faire avec prudence. On commence par une petite quantité puis on peut augmenter la dose.

Une consommation à fortes doses de ginseng peut se traduire chez certaines personnes par des maux tels que maux de tête, palpitations, bouffées de chaleur, hausse de la tension artérielle. Dans de tels cas, il faut immédiatement cesser toute consommation de ginseng pendant quelques semaines. Le ginseng reste dans les cellules sanguines, le corps, le foie et le cerveau et il faut lui permettre de s'évacuer lentement. Le ginseng américain semble être mieux supporté, mais il convient de demeurer vigilant.

Les Chinois consomment du ginseng sous plusieurs formes: ampoules, bonbons, poudre, en tranches, en tisane. En Asie, le ginseng est utilisé pour entretenir l'énergie de toute la famille.

Il est aussi possible de faire une cure de désintoxication de 5 jours à la tisane de chrysanthème et de 2 à 5 jours de racine de ginseng.

Comment préparer le ginseng

Une racine de ginseng américain
Une tasse d'eau distillée (12 oz)

Mettre le ginseng entier dans l'eau. Poser le bol sur une casserole contenant un peu d'eau et faire bouillir au bain-marie lentement, pendant toute une nuit. Prendre 1/2 tasse pendant la journée.

Éviter de consommer de la carotte blanche (daikon) et des fèves mung pendant que vous utilisez du ginseng, car ces aliments en diminuent l'efficacité.

LES FRUITS SÉCHÉS

Le longan séché, tonique, combat palpitations, vertiges et insomnie.

La racine rheumania soulage les reins et combat règles abondantes, fièvre, transpiration, énurésie, palpitations et vertiges.

La prune séchée médicinale (*Fructus pruni Mume*) combat diarrhées, toux persistantes et soifs excessives.

La graine de lotus, astringente, combat diarrhée, leucorrhée et incontinence urinaire.

CHAPITRE 17

MENUS ET CURES

•••••••••••••••••••••••••••••••••••••••

LES JUS

*I*l est préférable d'ajouter une part d'eau (distillée) à une part de jus de fruits pour en réduire le taux de sucre.

Les jus du matin

Herbe de blé ou herbe d'orge;
Pomme;
Pomme et poire;
Raisin;
Prune et poire;
Ananas (attention, le jus d'ananas est laxatif);
Lime avec 1 c. à thé d'huile d'olive et de l'eau tiède;
Pamplemousse;
Cassis.

Vers 10 heures

Jus de melon d'eau ou de papaye

Midi

Purée de légumes frais avec orge, avoine, seigle, sarrasin ou autres céréales, ou légumes verts cuits à la vapeur avec riz ou millet et graines de tournesol, citrouille ou sésame. Tisane et vitamines.

Vers 15 heures

Jus de légumes: carottes ou concombre avec céleri et persil.

Vers 16 heures

Tonique.
Tisane.

Le souper

Purée de légumes frais ou bouillon d'avoine ou soupe de riz aux carottes et céleri, bette à carde, salade aux algues. Tisane et vitamines.

Vers 20 heures

Bouillon d'avoine ou d'orge, ou tonique.

CONSEILS GÉNÉRAUX POUR ÉVITER CERTAINS TROUBLES DE SANTÉ
(principalement à partir de 40 ans)

Éviter tabac, alcool, thé noir, sucre blanc, sel blanc, chocolat et glutamates monosodiques (MSG). Consommés avec excès, ces aliments peuvent engendrer des troubles de santé.

Les aliments sensibles à la fermentation lorsqu'ils sont mal combinés

- Farines, pâtes alimentaires raffinées, pain blanc;
- Charcuteries, viandes et poissons fumés;
- Fruits de mer (en quantité modérée);
- Aliments en conserve (ils contiennent des agents de préservation et des colorants artificiels);
- Boissons gazéifiées et sucreries, gommes à mâcher;
- Pâtisseries, tartes, pizzas, crème glacée et sirops;
- Épices (poivre, muscade, moutarde, curry, etc.), mayonnaise et marinades, vinaigres, vinaigrettes, ketchup, crèmes, sauces, fritures et anchois;
- Viandes rouges, beurre, produits laitiers provenant de la vache nourrie aux hormones;
- Arachides, beurre d'arachide, huiles raffinées, couscous et blé blancs;
- Fruits secs non sulfurés, comme les dattes et les figues (pas plus de deux), sont aussi déconseillés pour ceux qui souffrent de diabète ou d'hypoglycémie.

Les fruits secs provoquent la carie dentaire; il est donc fortement conseillé de se brosser les dents immédiatement après leur consommation.

Les combinaisons qui favorisent la fermentation

Certaines combinaisons alimentaires peuvent favoriser de la fermentation, ce qui peut entraîner un taux d'acidité élevé dans le système digestif, avec pour conséquences des gaz et des ballonnements. En voici quelques-unes.

- Ratatouille : Aubergine + tomate + viande + oignon + pomme de terre + poireaux + sel
- Spaghetti : viande + nouilles + champignon + poivron + fromage + oignon + poivre + sel + sauce tomate

201

- Pizza : Farine blanche + sauce tomate + viande + fromage + sel + poivre
- Quiche aux brocolis ou poireaux ou chou-fleur: légume + tomate + oeufs + fromage fondu + farine de blé + pomme de terre + lait + sel
- Fèves au lard: Viande + fève + lard + sirop d'érable + omelette + poivre
- Hamburger: pain + viande hachée + sauce tomate + poivre + concombre + oignon + sauce mayonnaise
- Lasagne: pâtes + viande ou tofu + oignon + sauce tomate
- Crème aux champignons: beurre + champignon + sauce tomate + viande + oignon + poivron + fromage ou crème 15 %

Attention aux fruits acides pour l'estomac sensible et les troubles d'arthrite

- Fruits acides, comme l'orange, les mangues et les lychees;
- Légumes acides surtout ceux consommés crus comme poivron vert ou rouge, chou-fleur, brocoli. Les légumes chauffés (ou bouillis) perdent leurs vitamines et causent des troubles de fermentation. Il est recommandé de cuire les légumes *al dente* (1 minute dans l'eau chaude pour qu'ils demeurent croquants et verts).

Les mauvaises combinaisons

Elles peuvent retarder la digestion ou se révéler nocives pour les personnes qui souffrent de troubles de l'estomac, d'irritations de l'intestin, d'ulcères, de colites, de la maladie de Crohn, de diverticulose, de troubles de la circulation sanguine, d'arthrite, de rhumatismes, d'hypertension, de diabète ou de cancer.

Les mauvaises combinaisons alimentaires pour l'estomac et les intestins

Soupes et crèmes

- Carotte + poivron + navet + pomme de terre + ail + oignon + sauce tomate et crème 15 %
- Champignon + sel + fromage + tomate + crème 15 %
- Macaroni + tomate + pomme de terre + poivron + oignon + mayonnaise ou crème 15 ou 35 %
- Crème 15 % + lait ou légumes + moule broyée + sel + oignon + tomate
- Brocoli ou chou-fleur + pomme de terre + viande + lait + ail ou oignon + crème 15 ou 35 %
- Fèves + viande + oignon + poivron + tomate + champignon + poivre

Salades

Chou et carotte + fromage + vinaigre de vin + crevette + pétoncle ou crabe en conserve + sauce mayonnaise ou sauce tomate

Friture

- Farine + légumes + viande
- Légume frit avec farine, tempura

Autres

- Riz frit + crevette + jambon + légumes mélangés + sauce tomate
- Steak + beurre chauffé + ail + oignon

Pour leur part, les gâteaux industriels sont faits à partir de sucre raffiné, d'œufs, de beurre, de poudre à pâte, de farine blanche, de gras, de colorants artificiels, etc., ce qui constitue une mauvaise combinaison d'aliments.

La mastication et son importance

Il est essentiel pour une bonne digestion de mâcher de 10 à 30 fois chaque bouchée avant de l'avaler. Si vous êtes pressé, mangez moins mais plus souvent, votre système digestif ne s'en portera que mieux.

Les bonnes combinaisons alimentaires

- Du tofu ou du poulet cuit à l'eau + du paprika + du céleri + des carottes + légumes verts + des champignons. Ajouter de l'huile vierge sur le plat chaud et servir avec du riz ou du quinoa arrosé de sauce soya allégée et du persil.
- Des légumes verts cuits à la vapeur. Ajouter de l'huile vierge, un peu de citron et servir avec une sauce soya allégée.
- Du pain de seigle, de millet ou de riz (au levain) grillé + un œuf à la coque ou des graines de tournesol avec une sauce uméboshi à l'ail (voir recette de sauce uméboshi).
- Une galette de riz ou une tranche de pain germé + du beurre de sésame + de l'ail cru + du persil + du citron, avec du taboulé ou de l'hummus.
- De la viande blanche + du céleri + du paprika + du gingembre ou des graines de fenouil + des fines herbes + de la lime grillée au four.
- Du poisson + des carottes + des échalotes + des graines de fenouil ou des fines herbes. Le poisson peut être grillé, poché ou bouilli.
- Un bouillon de poulet + des champignons + un légume vert en morceaux. Servir avec un filet de sauce soya allégée.

Plus les combinaisons alimentaires sont simples, plus la digestion se fait facilement.

Les bonnes combinaisons de fruits

–   Les fruits acides doivent être consommés avec les fruits acides: les oranges avec les kiwis + les abricots et les framboises. Il est préférable de les consommer en petites quantités. Leur consommation est déconseillée à ceux qui ont l'estomac et les intestins sensibles.

–   Les fruits mi-acides doivent être consommés avec d'autres fruits mi-acides: les pamplemousses avec les ananas + les prunes + les bleuets ou les raisins. Ils ne sont pas conseillés non plus à ceux qui ont des problèmes d'estomac ou d'intestin.

–   Les fruits doux avec les fruits doux: le melon de miel + la pomme ou la banane + la papaye.

Les melons (toutes les sortes), l'avocat, la papaye et la pomme peuvent être consommés par tout le monde.

Attention: Il est préférable de manger un fruit seul, sans rien consommer d'autre pour l'accompagner, afin d'éviter les surplus d'acidité dans l'estomac.

Une cure pour l'estomac et l'intestin

On peut commencer sa cure en effectuant un jeûne d'une durée de 7 à 21 jours, selon son état de santé. Par la suite, une saine alimentation viendra compléter cette cure qui soulage l'estomac.

Chapitre 18

RECETTES

....

Céréales entières

(L'eau est toujours de l'eau distillée et tous les ingrédients sont biologiques.)

Le riz brun

1 tasse de riz brun
1 c. à table de graines de tournesol
1 1/2 à 2 tasses d'eau

Mélanger les ingrédients et amener à ébullition et faire cuire à feux doux pendant 40 minutes. Servir avec le tofu ou la viande.

Pour en faire une soupe, mettre le riz dans 6 tasses d'eau, porter à ébullition et cuire à feu doux pendant 1 heure. On peut ajouter du poisson ou du poulet, des carottes, du kale ou du collard, des oignons et des champignons pour en faire un repas complet. Servir avec une salade et des algues.

Le millet

1 tasse de millet
1 c. à table de graines de tournesol
3 tasses d'eau

Mélanger les ingrédients, amener à ébullition et cuire à feu doux de 30 à 40 minutes. Servir avec du riz.

Pour en faire une soupe, mettre le millet dans 6 à 7 tasses d'eau et cuire à feu doux environ 1 heure.

Le sarrasin

1 tasse de sarrasin cru
1 c. à table de graines de tournesol
3 tasses d'eau

Mélanger les ingrédients et cuire de 10 à 20 minutes. Servir avec du persil, de l'huile d'olive et de l'ail cru.

Pour en faire une soupe, mettre le sarrasin dans 6 à 7 tasses d'eau, amener à ébullition et cuire à feu doux de 30 à 40 minutes.

Le quinoa

1 tasse de quinoa
1 c. à table de graines de tournesol
2 tasses d'eau

Mélanger les ingrédients, amener à ébullition et cuire à feu doux pendant 20 minutes. Servir.

Pour faire une soupe, mettre le quinoa dans 5 tasses d'eau et cuire pendant 30 minutes.

Le quinoa et le millet

1/2 tasse de quinoa
1/2 tasse de millet
2 c. à soupe de graines de tournesol
3 tasses d'eau

Mélanger les ingrédients et cuire pendant 30 minutes.

Pour faire une soupe, mélanger les ingrédients dans 6 à 7 tasses d'eau. Amener à ébullition et cuire à feu doux de 40 à 50 minutes.

L'amarante et le quinoa

1/2 tasse d'amarante
1/2 tasse de quinoa
2 c. à soupe de graines de tournesol
2 tasses d'eau

Mélanger les ingrédients et cuire de 20 à 30 minutes.

Pour faire une soupe, mélanger 1 tasse de quinoa et d'amarante dans 5 à 6 tasses d'eau. Amener à ébullition et cuire à feu doux de 30 à 40 minutes.

BOUILLONS ET SOUPES

Bouillon tonique de céréales entières

Ce bouillon se compose principalement d'orge (pour le cœur et les poumons), de sarrasin noir (pour la circulation), de seigle (pour le système nerveux, énergétique), d'avoine (pour les glandes), de blé (pour le foie), de riz (pour les reins) et de millet (pour le pancréas et la rate).

1/2 tasse de céréales, au choix (selon les troubles de santé)
3 à 4 litres d'eau

Amener le mélange à ébullition et faire cuire à feu doux de 1 à 2 heures. Prendre ce bouillon entre les repas.

Soupe énergétique

Cette soupe se compose d'un mélange, à parts égales, de farine de riz brun, d'avoine, de maïs, de triticale, de millet ou de sarrasins et d'algues.

1 c. à table de ce mélange
1 tasse d'eau chaude ou de bouillon de poulet chaud
1/2 c. à thé de poudre de kombu ou 1 c. à thé de wakame
Fines herbes
1 cube de bouillon de légumes sans sel

Mélanger tous les ingrédients ensemble. Servir chaud, en collation, avec du gingembre écrasé.

Soupe de ciboulette et d'ail

4 champignons shitaké en morceaux
1/4 tasse de tofu mou en morceaux
3 à 4 tasses d'eau ou de bouillon de poulet
1/2 tasse de taro épluché, en morceaux
2 à 3 tasses de ciboulette et d'ail finement coupés
Sauce de poisson, sauce soya légère ou substitut de sel
Champignons blancs en tranches (facultatif)

Cuire à feu doux les 4 premiers ingrédients pendant 20 minutes. Ajouter le reste des ingrédients. Servir avec du riz.

Soupe de cresson et tofu (ou poulet biologique)

5 tasses d'eau
1/2 tasse de tofu ou 1/4 tasse de poulet en morceaux
1/4 tasse de champignons reishi *(black fungus)* trempés et coupés en morceaux
3 taros épluchés et coupés en morceaux
3 tasses de cresson coupé en petits morceaux
1/2 tasse de champignons blancs en tranches
1 c. à table de bouillon de légumes, de sauce de poisson ou de sauce tamari légère
2 c. à soupe d'algues hijiki ou kombu, coupées finement
Gingembre écrasé

Amener à ébullition les 4 premiers ingrédients et cuire à feu doux de 20 à 30 minutes. Ajouter le reste des ingrédients et éteindre le feu. Attendre quelques instants et servir avec du riz.

Soupe de carde (ou aux épinards) aux champignons et algues

4 à 5 tasses d'eau ou de bouillon de poulet
1/4 tasse de champignons reishi (*black fungus*) trempés, en morceaux
1 tasse de taros épluchés, en morceaux
1/4 tasse de kombu ou dulse ou wakame, trempés, en morceaux
1/2 tasse de céleri en fins cubes
2 ou 3 grandes feuilles de carde rouge déchiquetées ou
3 tasses d'épinards déchiquetés
Gingembre écrasé

Amener à ébullition les 3 premiers ingrédients et cuire à feu doux pendant 10 minutes. Ajouter les derniers ingrédients et continuer la cuisson pendant 3 minutes. Servir avec une sauce au tamari léger et du riz.

Soupe au melon d'eau

4 à 5 tasses d'eau ou de bouillon de poulet
1 tasse de taros, en morceaux
1/4 tasse de poulet haché
1/2 tasse de tofuki (tofu sec) trempé, en morceaux, ou
de tofu mou coupé en morceaux
2 tasses de blanc de melon d'eau en morceaux
1 échalote finement coupée

Amener à ébullition les 4 premiers ingrédients et cuire à feu doux de 20 à 30 minutes. Ajouter le blanc de melon d'eau, et cuire encore 5 minutes. Ajouter l'échalote. Servir avec une sauce de poisson ou une sauce soya, avec un riz brun et du gingembre écrasé.

Soupe au quinoa

5 à 6 tasses d'eau
1/2 tasse de quinoa
1/2 tasse de tofu mou, de poulet ou de poisson, en morceaux
1/2 tasse de champignons shitaké ou reishi trempés, en morceaux
1/4 tasse de céleri ou de poireau, en morceaux
Fines herbes ou cresson coupé en petits morceaux
Sauce de poisson ou tamari léger
Gingembre écrasé

Amener à ébullition l'eau et le quinoa et cuire à feu doux pendant 30 minutes. Ajouter le tofu (ou autre), les champignons et poursuivre la cuisson encore une dizaine de minutes. Ajouter le reste des ingrédients et servir.

Soupe de poisson et de légumes

5 à 6 tasses d'eau
1 gros morceau de raie, de mérou ou de *red snapper*
1/4 tasse de tamarin frais, sans écorce (ou 2 c. à soupe de tamarin en pâte)
1/4 tasse de champignons blancs, en morceaux
1/4 tasse de bulbe de fenouil haché
1/2 tasse de céleri tranché
1 tasse d'ananas en morceaux
1/4 tasses de poireau coupé en tranches minces
1 tasse de fèves germées (*chop suey*)
Fines herbes: coriandre, céleri chinois, échalotes, feuilles de fenouil, menthe poivrée ou basilic
Sauce de poisson ou soupe aux légumes, au goût
Jus de lime, paprika, piment de Cayenne et gingembre écrasé

Amener à ébullition l'eau, le poisson et le tamarin et cuire à feu doux pendant 20 minutes. Ajouter les champignons, le bulbe de fenouil, le céleri, le poireau et les ananas et poursuivre la cuisson 3 minutes. Ajouter le reste des ingrédients et servir chaud avec du riz ou du millet.

Soupe au riz ou au millet avec tofu et algues

1/2 tasse de riz brun ou de millet
6 tasses d'eau distillée
1 tasse de tofu mou, coupé en cubes
1/4 tasse de champignons reishi trempés
1/4 tasse de daikon en cubes
1 échalote finement coupée
1/4 tasse d'algue hijiki ou kombu ou de champignons blancs coupés en morceaux
1 c. à table de bouillon de légumes ou de poulet, de sauce soya légère ou de substitut de sel
Gingembre écrasé
Cresson ou coriandre ou aragula

Amener à ébullition le riz et l'eau et cuire à feu doux pendant 50 minutes. Ajouter le tofu, les champignons et le daikon et continuer la cuisson pendant 10 minutes. Ajouter le reste des ingrédients et servir.

Soupe aux taros et à la citrouille

5 à 6 tasses d'eau ou de bouillon de poulet
2 tasses de citrouille en morceaux
1 tasse de taros en morceaux
1/4 tasse de reishi trempés, en morceaux
1/4 tasse de carottes, en rondelles minces
Gingembre écrasé
1/4 c. à thé de fines herbes
1 échalote coupée en morceaux
De la sauce de poisson, de soya ou du bouillon de légumes

Amener à ébullition l'eau, la citrouille, les taros, les champignons et cuire à feu doux de 20 à 30 minutes. Ajouter les carottes, le gingembre, les fines herbes et la sauce. Servir avec du riz ou des céréales.

Soupe aux fèves rouges

1/2 tasse de fèves rouges préalablement trempées (toute une nuit)
6 tasses d'eau ou de bouillon de poulet
1/4 tasse de riz brun
1/4 tasse de shitaké, en morceaux
1/4 tasse de carottes tranchées
1/4 tasse de céleri haché
1 c. à table de bouillon de légumes
Fines herbes et gingembre écrasé

Amener à ébullition l'eau, les fèves rouges et le riz et cuire à feu doux de 40 à 50 minutes. Ajouter les champignons et continuer la cuisson pendant 10 minutes. Ajouter le reste des ingrédients et servir avec un peu de sauce soya.

Soupe tonkinoise (nouilles de riz au poulet ou tofu)

1/2 poitrine de poulet ou 1 tasse de tofu mou, en morceaux
7 à 8 tasses de bouillon d'os de poulet ou d'eau
1/2 tasse de reishi trempés, en morceaux
1/2 racine de daikon, en 3 gros morceaux
1 oignon blanc haché
1 gros morceau de gingembre grillé
1 c. à thé de graines de coriandre, 10 graines d'anis étoilé,
20 clous de girofle, 10 graines de cardamome, 1 c. à thé de
graines de fenouil, 1 morceau de cannelle
Bouillon de légumes au goût, 1/2 bâton de réglisse, sauce de
poisson ou tamari léger
Nouilles de riz à volonté
Fèves germées (chop suey), coriandre, échalote hachée,
menthe et basilic frais, gingembre coupé en fines tranches

Amener à ébullition le poulet, le bouillon, les champignons, la racine de daikon, l'oignon, le gingembre grillé, la cannelle, les épices et le bâton de réglisse et cuire à feu doux pendant 30 minutes. Détacher la chair du poulet en morceaux. Cuire les nouilles à part. Déposer une quantité de nouilles dans les bols et verser la soupe. Servir avec de la sauce de poisson ou du tamari, avec un peu de piment de Cayenne, de paprika et de jus de lime, les feuilles de basilic ou de menthe, la coriande ou l'échalote.

On peut remplacer le poulet par des crevettes, du poisson ou du crabe.

SALADES ET SAUCES

Assaisonnements à salade

Sauce uméboshi

1/2 tasse d'huile pressée à froid
1 c. à soupe de miel ou de sirop de riz ou 1/2 c. à thé de stévia
1 c. à table de pâte uméboshi
5 à 7 grosses gousses d'ail écrasées
1/4 c. à thé de tuméric
Paprika ou gingembre écrasé

Mélanger tous les ingrédients. Servir 2 c. à soupe par personne. Conserver au réfrigérateur.

On peut aussi faire une trempette de pain avec la sauce uméboshi, comme collation. Cette sauce est cependant déconseillée pour ceux qui souffrent de haute pression, de migraine, d'arthrite ou de troubles cardiaques.

Sauce à l'ail

1/2 tasse d'huile de tournesol ou de soya
1/2 jus de lime
3 gousses d'ail écrasées
1 c. à table de miel, de gingembre écrasé ou de sel végétal
1 c. à table de graines de tournesol broyées
1/4 c. à thé de fines herbes

Mélanger tous les ingrédients.

Sauce de poisson

Pour accompagner le riz, la salade, les rouleaux, les poissons, etc.

Lime pressée ou le jus d'une lime
8 c. à soupe de sauce de poisson
1 tasse d'eau distillée (8 oz)
2 c. à soupe de miel
1/2 c. à thé de paprika
Piment de Cayenne au goût
5 gousses d'ail écrasées

Mélanger tous les ingrédients, et servir.

Sauce au tofu et au gingembre

1/4 tasse de tofu mou écrasé
1 c. à table de gingembre écrasé
1/4 tasse de graines de tournesol écrasées
3 c. à soupe de vinaigre de riz
1/2 c. à thé de fines herbes
1 c. à thé de pâte uméboshi
Feuilles de menthe coupées
Huile d'olive
Quelques olives coupées
Poudre de réglisse ou stévia (facultatif)

Mettre tous les ingrédients dans un mélangeur et mélanger jusqu'à obtention d'une sauce homogène. Servir avec du pain, des galettes de riz ou une salade de persil.

Salade de fèves germées et de tofuki

200 g de fèves germées (*chop suey*)
1/4 tasse de tofuki cuit, en morceaux
1/4 tasse de carottes râpées
1 c. à table de vinaigre de riz
1/4 tasse de champignons reishi trempés, en morceaux
1 c. à table de gingembre écrasé
Algues hijiki au goût
Sauce uméboshi, sauce soya légère, sauce de poisson ou tamari léger
Feuilles de menthe
1/4 tasse de graines de tournesol broyées

Faire tremper les fèves germées (chop suey) dans l'eau chaude. Égoutter. Ajouter le tofuki, les carottes, le vinaigre de riz, les champignons, le gingembre et les algues. Bien mélanger. Ajouter le reste des ingrédients. Mélanger et servir avec du riz.

Salade de pissenlit et d'amandes

2 tasses de feuilles de pissenlit déchiquetées
2 tasses de laitue Boston ou frisée déchiquetée
1 tasse de graines germées
3/4 tasse d'oignon, en fines rondelles
3 gousses d'ail écrasées
15 amandes préalablement trempées
3 c. à soupe de graines de tournesol ou de citrouille ayant déjà trempé
3 à 5 c. à soupe de sauce tamari légère
1/2 tasse de tofu rôti, en morceaux
Hijiki ou aramé au goût
1/4 tasse d'huile d'olive vierge
Jus de lime

Mélanger tous les ingrédients. Servir avec du millet, du riz ou du pain.

FÉCULENTS

Feuilles de vigne au riz et au tournesol

2 tasses de riz doux, cuit
1/4 tasse de graines de tournesol
3 c. à soupe de graines de sésame brunes
1/2 tasse de fèves à œil noir, cuites
Feuilles de vignes fraîches ou marinées

Mélanger le riz, les graines de tournesol, les graines de sésame et les fèves. Étaler le mélange sur les feuilles de vigne. Rouler en forme de cigare, en prenant soin de fermer les extrémités. Faire cuire à la vapeur pendant 30 minutes. Servir en collation ou en repas.

Pain au levain de seigle avec patate sucrée, avec tofu ou avec poulet haché

1 tasse de carottes broyées
1/2 tasse de patates sucrées en purée, de tofu broyé ou de poulet haché
1/4 tasse d'oignon haché
2 gousses d'ail écrasées
1 c. à table de sauce de poisson (si désiré) ou de tamari léger
1/4 tasse de poireau ou d'échalote, hachés
1 pain au levain de seigle tranché
Gingembre broyé au goût
Fines herbes

Mélanger tous les ingrédients sauf les tranches de pain de seigle. Façonner des boulettes de la taille d'une lime et les aplatir en galettes sur les tranches de pain au levain. Cuire au four à 200 ℃ (400 ℉) pendant une vingtaine de minutes. Servir en collation.

Pain au levain et pain germé
et leurs accompagnements

- 1 tranche de pain au levain + 1 œuf à la coque + de l'ail + du navet et carottes râpées + du persil + sauce umé-boshi + fines herbes.
- 1 tranche de pain germé + 1 c. à table de beurre de sésame, de tournesol ou d'amandes + de l'ail ou une tranche de lime.
- 1 tranche de pain germé + de l'ail cru + du persil + jus de lime + huile d'olive + hummus.

Rouleaux impériaux

1 tasse de poulet ou de tofu haché
2 tasses de carottes (ou un petit navet) râpées
1/4 tasse de vermicelle transparent, en morceaux
1/2 tasse de champignons reishi ou de champignons blancs, en morceaux
1/2 tasse de daikon râpé
2 échalotes finement émincées
3 à 4 c. à soupe de sauce de poisson ou de tamari léger
Fèves germées (si désiré)
Galettes de riz (crêpes)

Placer les galettes de riz entre des linges humides. Mélanger tous les ingrédients sauf les galettes de riz. Étaler 3 c. à soupe du mélange obtenu sur chaque galette. Rouler. Déposer les rouleaux sur une tôle à biscuits huilée. Cuire au four à 200 °C (400 °F) pendant 30 minutes. Servir chaud avec une salade, des feuilles de menthe ou de basilic, et de la sauce de poisson.

Rouleaux printaniers végétariens

4 tasses de chou, de carottes et de navets, râpés et trempés dans l'eau chaude pendant 1 minute
1/2 tasse de graines de tournesol, de sésame et de citrouille, broyées
3 à 5 c. à soupe de tamari léger
1/2 tasse de tofuki cuit, en morceaux
1/2 tasse de vermicelle de soya cuit
1/4 tasse de champignons reishi cuits, en morceaux
Salade frisée, menthe fraîche, coriandre et basilic
Galettes de riz (crêpes)

Humidifier les galettes et les conserver dans un linge humide. Mélanger tous les ingrédients, sauf les galettes, la salade et les fines herbes. Placer une galette de riz dans une assiette, déposer une feuille de salade, de la menthe du coriandre et du basilic et 3 c. à soupe du mélange obtenu. Rouler la crêpe pour former un cigare. Servir avec une sauce au tamari léger, du vermicelle cuit, du riz et des légumes verts.

Quiche aux épinards

4 tasses d'épinards déchiquetés
1/2 tasse de champignons tranchés
1/2 tasse de céleri, en morceaux
1 c. à table de bouillon de légumes
1 tasse de lait de chèvre
3 blancs d'œufs battus
1/4 tasse de fromage de riz ou de soya coupé en petits morceaux
Une pâte préparée avec de la farine d'épeautre

Mélanger les épinards, les champignons, le céleri, le bouillon de légumes, le lait de chèvre et les œufs battus. Étaler la pâte dans un plat à quiche. Verser le mélange aux œufs, couvrir de fromage de riz ou de soya et mettre au four à 175 °C (350 °F) pendant 25 minutes.

Riz doux rouge aux fèves mung

1/2 tasse de fèves mung
1 tasse d'eau
1/4 c. à thé de sel de mer gris (si désiré)
2 tasses de riz doux rouge
3 à 4 tasses d'eau
Graines de sésame et de tournesol, au goût
Noix de coco fraîche, râpée
3 c. à soupe de sucre demerara ou 3 c. à soupe de miel de trèfle pur

Amener à ébullition les fèves mung, l'eau et le sel de mer et cuire à feu doux pendant 30 minutes. Réduire en purée. Faire cuire le riz dans l'eau pendant 40 minutes. Étaler la purée de fèves mung, le riz et le reste des ingrédients. Servir en collation, avec la galette de riz doux.

Riz doux blanc aux fèves mung à la vapeur

1 tasse de fèves mung
1/4 c. à thé de sel de mer gris
2 tasses d'eau
2 tasses de riz doux blanc
3 tasses d'eau
2 c. à soupe de sucre demerara

Faire tremper séparément les fèves mung et le riz pendant toute une nuit. Broyer les fèves mung. Égoutter le riz. Mélanger tous les ingrédients. Faire cuire à la vapeur de 30 à 40 minutes. Servir avec de la noix de coco fraîche, comme collation.

Spaghettis chinois aux légumes Shanghai

1/2 tasse de poulet ou de tofu mou, en morceaux
1/4 tasse de daikon en rondelles
1/4 tasse de racine de lotus fraîche en rondelles
3/4 tasse d'eau distillée
1/2 tasse de champignons shitaké trempés, en morceaux
2 tasses de fèves germées (chop suey)
1 c. à table d'huile de sésame
2 tasses de légumes Shanghai, en morceaux
3 tasses de nouilles de soya, de sarrasin ou de riz, cuites
Gingembre écrasé, au goût
Sauce soya légère et coriandre

Faire sauter dans un wok le poulet, le daikon, la racine de lotus, l'eau et les champignons, pendant une vingtaine de minutes. Ajouter le reste des ingrédients pour les réchauffer seulement et servir.

Tofu et légumineuses

Tofu au miso et à la noix de coco

200 g de tofu en cubes
2 c. à soupe de hatcho miso
2 tasses d'eau
1/4 tasse de champignons reishi trempés, en morceaux
1 morceau de gingembre (environ 1 po de long), haché
1/2 c. à thé de paprika
2 c. à soupe de noix de coco râpée
2 échalotes finement coupées

Amener à ébullition le tofu, le miso, l'eau et les champignons et cuire à feu doux pendant 10 minutes. Éteindre le feu et ajouter le reste des ingrédients. Servir avec du riz ou des céréales.

Aubergine farcie au tofu ou au poulet

1/2 tasse de carottes râpées
1/4 tasse de poulet cuit ou de tofu haché
1/2 oignon en morceaux
1/2 tasse de champignons reishi trempés et broyés
1/4 tasse de vermicelle de soya, cuit et coupé
2 c. à soupe de sauce de poisson ou de sauce soya
1/2 tasse d'échalote ou de poireau haché
3 longues aubergines, en larges tranches

Mélanger tous les ingrédients, sauf les aubergines. Étaler généreusement le mélange sur les tranches d'aubergines et cuire au four à 175 °C (environ 350 °F) de 20 à 30 minutes.

Racine de lotus sautée au tofu ou au poulet

1/4 tasse de tofu mou ou de poulet, en morceaux
1/4 tasse de racine de lotus fraîche ou séchée, en fines tranches
1 tasse d'eau distillée
1/2 tasse de champignons shitaké trempés, en tranches
1/4 tasse de carottes finement coupées
Huile de sésame, de tournesol ou d'olive, au goût
3 c. à soupe d'amandes effilées
Tamari léger ou *quicksip*
Coriandre ou persil frais

Mélanger le tofu ou le poulet, la racine de lotus, l'eau, les champignons et cuire pendant 30 minutes. Ajouter le reste des ingrédients et éteindre le feu. Servir avec du riz ou du millet.

Tofu ou poulet aux carottes à la vapeur

1 tasse de carottes râpées
1/2 tasse de poulet ou de tofu mou, haché
1/4 tasse de champignons reishi trempés, en morceaux
1 c. à thé de bouillon de légumes
2 échalotes en morceaux
1 blanc d'œuf battu
Fines herbes
Fenouil au goût

Bien mélanger tous les ingrédients. Façonner de petites boulettes et les placer dans une marguerite. Cuire à la vapeur pendant une trentaine de minutes. Servir avec du riz ou une autre céréale.

Tofu aux fleurs de lys

1 tasse de tofu mou, en cubes
1 tasse de fleurs de lys
1 à 2 c. à soupe de sauce soya légère ou 1 c. à table de hatcho miso
1/4 tasse de daikon en tranches
1/4 tasse de champignons shitaké trempés, en morceaux
3 c. à soupe de gingembre en morceaux
1 1/2 tasse d'eau
1/4 tasse de kombu trempé, en morceaux
2 c. à soupe d'huile de sésame
Coriandre et échalote hachée

Amener à ébullition, de préférence dans une casserole en terre cuite (donne un meilleur goût), tous les ingrédients, sauf l'huile de sésame, la coriandre et l'échalote, et cuire à feu doux pendant 20 minutes. Ajouter le reste des ingrédients. Éteindre le feu et servir avec du riz.

Tourtière au millet, aux légumes et au poulet (ou saumon)

3 tasses de millet cuit
1/2 tasse de champignons en rondelles
1 c. à thé de bouillon de légumes
1/4 tasse de petits pois frais, cuits
1 tasse de céleri et de carottes, en rondelles ou
1 tasse de poulet ou de poisson, en morceaux
1/4 tasse d'eau
1 à 2 c. à soupe de miso d'orge
1 c. à thé de fines herbes
1/2 c. à thé de graines de fenouil
2 préparations de pâte préparée à la farine d'épeautre

Abaisser la pâte. Mélanger tous les ingrédients et les verser sur la pâte. Couvrir de la deuxième abaisse de pâte. Cuire au four à 200 °C (400 °F) pendant 30 minutes. Servir.

POISSONS

Achigan au bain-marie

1 achigan, coupé en deux
4 c. à soupe de sauce tamari légère ou
2 c. à soupe de miso hatcho
10 champignons shitaké trempés, en rondelles
5 œufs de caille cuits et écaillés
5 tranches de daikon
10 tranches de gingembre
10 petits oignons épluchés
1/4 tasse d'algues hijiki déchiquetées
1/2 tasse de vermicelle transparent coupé
Gingembre écrasé
Coriandre et échalotes en morceaux
2 c. à soupe d'huile de sésame
Piment de Cayenne (si désiré)
1 tasse d'eau distillée

Mélanger tous les ingrédients, à part la coriandre, les échalotes, l'huile de sésame et le piment de Cayenne, et cuire au bain-marie pendant 30 minutes. Ajouter le reste des ingrédients et éteindre le feu. Servir avec du riz.

Rouleaux printaniers aux crevettes et au poisson

1 tasse de vermicelle de riz cuit
1/4 tasse de graines de tournesol, de sésame et de citrouille
ou d'arachide, rôties et broyées
1 à 2 tasses de chou, de carottes et de navets, râpés
1 tasse de poisson (au choix) cuit et émietté
20 grosses crevettes cuites, en morceaux
Salade: feuilles de menthe, coriandre, basilic, ciboulette et
fèves germées
Galettes de riz (crêpes)

Placer les galettes de riz entre des linges humides.
Déposer un peu de chaque ingrédient sur la galette et rouler
en forme de cigare. Servir avec une sauce de poisson ou
soya légère.

Carpe au gingembre à la vapeur

1 carpe bien nettoyée
1 c. à thé de sel de mer gris
1 tasse d'eau
1/2 tasse de gingembre, en tranches
2 gousses d'ail écrasées
1/2 tasse de champignons reishi trempés, en morceaux
1/4 tasse de fenouil frais, coupé
1/2 tasse de champignons blancs, coupés
1/4 tasse de carottes, en rondelles
5 c. à soupe de tamari léger
2 c. à soupe d'huile de sésame
2 échalotes hachées
Graines de fenouil, de coriandre ou d'estragon

Nettoyer la carpe à l'eau et au sel de mer. Rincer.
Mélanger le gingembre, l'ail, les champignons reishi, le
fenouil, les champignons blancs et les carottes. Farcir la
carpe de ce mélange (en mettre un peu sur la carpe). Cuire
à la vapeur pendant 30 minutes. Ajouter le reste des ingrédients et servir avec du riz.

Mérou au citron ou à l'ananas

1 tranche de mérou de 3 pouces
2 tranches de lime
1/4 d'oignon en tranches ou 2 gousses d'ail écrasées
1/4 c. à thé de fines herbes ou de fenouil
1 c. à thé de gingembre écrasé
4 champignons, en fines lamelles
2 c. à soupe d'huile de sésame, de tournesol ou d'olive
1 c. à table de sauce tamari légère
Jus de 1/2 citron ou d'ananas frais
Échalotes ou coriandre, fraîches

Mélanger les ingrédients suivants: les oignons, les fines herbes, le gingembre et les champignons, et étaler la préparation sur le mérou. Cuire au four à 175 °C (350 °F) de 20 à 30 minutes. Sortir du four et ajouter le reste des ingrédients. Servir chaud avec des céréales entières cuites.

Truite à l'ail

1 truite saumonée
1/2 tasse de champignons en morceaux
2 tranches de limette
Fines herbes
1 c. à table de gingembre écrasé
3 gousses d'ail écrasées
1 échalote en morceaux
2 c. à soupe d'huile de tournesol ou d'olive
2 c. à soupe de sauce tamari légère, de sauce uméboshi ou de sauce de poisson
Jus de lime et coriandre

Mélanger les champignons, les fines herbes et le gingembre. Étaler sur la truite et cuire à la vapeur une vingtaine de minutes. Ajouter le reste des ingrédients et servir avec du riz.

Sauce pour le poisson

1 c. à thé de pâte d'uméboshi ou de jus de lime
1/4 tasse d'eau distillée ou de source
1/2 c. à thé de miel naturel ou 1/4 c. à thé de stévia
1/4 c. à thé de paprika
3 c. à thé de gingembre moulu
1 c. à table d'huile d'olive

Mélanger tous les ingrédients et servir sur le poisson.

VOLAILLES

Feuilles de vigne au poulet ou au veau

1 tasse de riz brun, cuit
1 échalote hachée
1/4 d'oignon haché
1/2 tasse de champignons shitaké cuits, en morceaux
1 tasse de poulet, de veau ou de tofu rôti, en morceaux
1 tige de citronnelle fraîche, finement hachée
Gingembre écrasé
Feuilles de vigne fraîches ou marinées

Mélanger le riz, l'échalote, l'oignon, les champignons, le poulet (ou autre), la citronnelle et le gingembre. Étaler le mélange sur les feuilles de vigne et rouler en forme de cigare. Cuire au four à 175 ℃ (environ 350 ℉) pendant 20 minutes. Servir chaud avec une salade et du vermicelle de riz.

Melon amer farci

2 melons amers coupés en deux et vidés
1/2 tasse de viande de poulet ou de tofu, haché
1/4 tasse de daikon haché
2 échalotes tranchées
1/2 tasse de vermicelle de soya, cuit et coupé
1/4 tasse de champignons reishi trempés, en morceaux
1 c. à table de sauce de poisson (si désiré)
Gingembre en lamelles
3 à 4 tasses d'eau

Mélanger la viande ou le tofu, le daikon, les échalotes, le vermicelle, les champignons, la sauce de poisson et le gingembre. Farcir les melons de ce mélange. Cuire les melons farcis dans l'eau à feu doux de 30 à 40 minutes. Servir avec du riz ou du millet.

Lasagne au tofuki ou au poulet

1 paquet de lasagne aux épinards, cuite
3 c. à soupe de protéines de soya
1 tasse de tofuki (tofu sec) trempé et haché
6 champignons blancs, en lamelles
1/2 tasse de daikon broyé
1/4 c. à thé de fines herbes
1 c. à table de levure nutritive
1/2 c. à soupe de bouillon de légumes sans sel
2 c. à soupe de graines de tournesol et de sésame broyées
1 c. à table de paprika

Placer les pâtes dans un plat et étaler en couches minces les protéines, le tofuki, les champignons, le daikon, les fines herbes, la levure, le bouillon de légumes et les graines de tournesol et de sésame. Répéter l'opération de façon à obtenir trois couches de lasagne. Saupoudrer de paprika et passer au four à 175 ℃ (environ 350 ℉) pendant 30 minutes.

Canard ou poulet laqué

1 canard ou un poulet en morceaux
1/4 tasse de sauce tamari légère
2 c. à soupe de miel (facultatif)
10 graines d'anis étoilé
2 c. à soupe de graines de fenouil
1 c. à thé de paprika
2 c. à soupe de miso rouge
10 graines de cardamome
10 clous de girofle
1 c. à table de graines de fenouil

Mélanger tous les ingrédients (en laissant de côté le canard ou le poulet), jusqu'à obtention d'une sauce. Enduire le canard ou le poulet (à l'intérieur et à l'extérieur) de la sauce et laisser mariner toute une nuit au réfrigérateur. Cuire au four à 150 °C (300 °F) pendant 1 1/2 heure. Servir avec du riz ou une autre céréale et du pain.

Dinde farcie

Farce
3 tasses de chapelure
1 tasse d'eau
1 tasse de poulet haché
1/4 tasse de noisettes hachées
1/2 tasse d'amandes broyées
1 oignon en morceaux
5 gousses d'ail en morceaux
1 échalote finement coupée
1 c. à table de graines de fenouil
1 c. à thé de fines herbes
3 à 4 c. à soupe de sauce de poisson ou de bouillon de légumes sans sel

Sauce pour la marinade
1 c. à thé de fenouil
4 graines d'anis étoilé
1/4 tasse de sauce tamari
1 c. à thé de miel

Bien mélanger tous les ingrédients de la marinade. Vider la dinde et la badigeonner de la préparation, à l'intérieur comme à l'extérieur. Laisser mariner pendant 4 heures. Retirer la marinade. Bien mélanger les ingrédients de la farce et farcir la dinde. Cuire au four à 150 °C (300 °F) pendant 2 ou 3 heures, selon le poids.

Poulet au gingembre

1 poitrine de poulet en morceaux
1/2 tasse de tofu mou, en morceaux
1 tasse d'eau
1/2 tasse de gingembre haché
1 tige de citronnelle hachée
Sauce tamari ou de miso hatcho
1/2 tasse de champignons shitaké
Échalotes

Mettre tous les ingrédients dans une casserole et faire mijoter 30 minutes. Servir avec du riz ou une autre céréale.

Poulet sauté aux ananas

1/4 tasse d'eau
1 tasse de poulet en morceaux
1/4 tasse de gingembre en morceaux
1 tasse d'ananas en tranches
1/2 tasse de champignons
1 c. à thé d'huile de sésame
1/4 d'oignon en tranche
20 noix de cajou
Coriandre
Sauce de poisson ou sel de mer gris
Piment de Cayenne

Faire chauffer dans une poêle l'eau, le poulet et le gingembre, pendant 20 minutes. Ajouter les ananas et les champignons et continuer la cuisson pendant encore 3 minutes. Ajouter le reste des ingrédients et éteindre le feu. Servir avec du riz.

DESSERTS

Dessert au maïs et à la farine de maranthe

2 maïs râpés
5 tasses d'eau
3 c. à soupe de farine de maranthe
1 tasse d'eau
Miel ou stévia au goût
3 c. à soupe de lait de coco frais

Amener à ébullition le maïs et les 5 tasses d'eau et faire cuire à feu doux de 20 à 30 minutes. Diluer la farine de maranthe dans un peu d'eau et l'incorporer au maïs. Bien mélanger. Ajouter le reste des ingrédients et mélanger. Servir chaud ou froid en collation.

Dessert de melon au miel

1/2 tasse d'agar-agar
1 1/2 tasse d'eau distillée
1 tasse de melon miel en purée
1 tasse de melon miel en morceaux
1/2 tasse de poudre de malt ou 3 c. à soupe de miel ou 1 c. à thé de stévia

Amener à ébullition l'eau et l'agar-agar et cuire à feu doux pendant une quinzaine de minutes, ou jusqu'à dilution complète. Ajouter le melon en purée, les morceaux de melon, le malt ou autre. Éteindre le feu. Garder au réfrigérateur jusqu'au moment de servir en collation ou en dessert. On peut ajouter du lait de riz ou de soya.

Dessert aux amandes

1/2 tasse d'agar-agar
1 1/2 tasse d'eau
1 1/2 tasse de lait de chèvre
1/4 tasse de poudre d'amande
1/2 tasse de poudre de malt, 1 c. à thé de stévia ou 3 c. à soupe de miel

Amener à ébullition l'agar-agar et l'eau et cuire à feu doux pendant une quinzaine de minutes. Ajouter le lait de chèvre et le reste des ingrédients. Bien mélanger. Garder au réfrigérateur.

Dessert de riz aux fruits

1/2 tasse d'agar-agar
1 1/2 tasse d'eau
2 tasses de lait de riz
3 c. à soupe de son de riz
1 tasse de fruits coupés (pomme, papaye et melon miel)
1/2 tasse de poudre de malt, 1 c. à thé de stévia ou du miel au goût
Jus de lime

Amener l'eau et l'agar-agar à ébullition et cuire à feu doux jusqu'à ce que celui-ci soit complètement dissout (environ une quinzaine de minutes). Ajouter le reste des ingrédients et bien mélanger. Garder au froid jusqu'au moment de servir. Servir en dessert ou en collation.

Gâteau aux bananes

12 bananes très mûres
4 c. à soupe de margarine de soya ou de canola
6 blancs d'œufs
1 c. à table de poudre à pâte sans alun
4 tasses de farine d'épeautre
1/4 tasse d'eau

Battre les bananes et la margarine pendant 5 minutes. Battre les œufs et la poudre à pâte. Mélanger les deux préparations et le reste des ingrédients et battre le tout 5 minutes. Cuire au four à 150 °C (300 °F) pendant 45 minutes.

Gâteau aux noix

4 c. à soupe de margarine de canola ou de soya
1 c. à thé de poudre à pâte sans alun
1/2 tasse de poudre de malt, 1 c. à thé de stévia ou 1 tasse de sucre brun
6 blancs d'œufs
1 tasse de noisettes ou d'amandes broyées
1 tasse d'eau
4 tasses de farine d'épeautre ou de seigle
1/4 tasse d'huile de safran

Battre la margarine et la poudre à pâte pendant 5 minutes. Battre la poudre de malt (ou autre) et les œufs pendant 5 minutes. Mélanger les deux préparations et le reste des ingrédients. Cuire au four à 175 °C (350 °F) pendant 30 minutes.

Pouding au riz et au maïs

1/4 tasse de riz gluant
4 à 5 tasses d'eau
1/2 tasse de maïs écrasé
1/2 tasse de poudre de malt, 1/4 tasse de miel ou 1 c. à thé de stévia

Amener à ébullition le riz, l'eau et le maïs et cuire à feu doux pendant 1 heure. Ajouter le reste des ingrédients et éteindre le feu. Servir chaud, en collation.

Pouding au riz et aux fèves blanches

8 tasses d'eau
1/2 tasse de fèves blanches à œil noir (ayant trempé toute la nuit)
1 tasse de taro épluché et coupé
1/2 tasse de riz gluant
1/2 tasse de sucre demerara
Lait de coco

Amener à ébullition l'eau et les fèves et cuire à feu doux pendant 30 minutes. Ajouter le riz et continuer la cuisson pendant 40 minutes. Ajouter le reste des ingrédients. Éteindre le feu. Servir tiède ou froid, en collation.

Riz, millet ou blé soufflé aux graines et aux amandes

3 c. à soupe de miel ou de mélasse
1/2 tasse de poudre de malt
1/4 tasse d'eau
1 c. à table de farine de maranthe
1 c. à thé de poudre de petit lait de chèvre
5 à 6 tasses de riz, de millet ou de blé soufflé
1/4 tasse de graines de tournesol
3 c. à soupe de graines de citrouille
1 c. à table de graines de sésame
1/4 tasse d'amandes effilées
1/4 c. à thé d'extrait de vanille

Faire chauffer pendant 3 minutes, le miel, le malt, l'eau, la farine et le petit lait. Bien mélanger. Verser cette préparation sur le reste des ingrédients. Bien mélanger. Former un rectangle. Prendre en collation ou en dessert.

Tarte à la citrouille

2 tasses de citrouille broyée
1 c. à thé de graines de fenouil
1/2 c. à thé de graines d'anis
4 c. à soupe de poudre de malt ou 1 c. à thé de stévia
1/4 tasse de graines de tournesol broyées
Une préparation de pâte à la farine de sarrasin

Étaler la pâte dans une assiette à tarte. Mélanger la citrouille, les graines de fenouil, les graines d'anis et la poudre de malt. Verser sur la pâte et saupoudrer de graines de tournesol. Cuire au four à 175 ºC (350 ºF) pendant 30 minutes.

Yogourt de chèvre au concombre

1 tasse de yogourt de chèvre
1/4 tasse de concombre broyé
4 c. à soupe de persil frais, haché
2 c. à thé de levure nutritive
2 c. à thé de bouillon de légumes
1 gousse d'ail
1/4 tasse d'amandes effilées

Mélanger tous les ingrédients et servir avec du pain ou des craquelins de riz.

Yogourt de chèvre ou de soya
aux graines et à la mélasse verte

175 g de yogourt de soya ou de chèvre
1 c. à table de graines de sésame, de tournesol ou de citrouille

Mélanger tous les ingrédients et servir avec de la mélasse verte.

Yogourt de chèvre à la papaye

1 tasse de yogourt de chèvre
1/4 tasse de papaye en morceaux
2 c. à soupe de poudre de malt, de mélasse verte ou 1 c. à thé de stévia
1 ou 2 c. à soupe de graines de citrouille, de tournesol ou de sésame broyées

Mélanger tous les ingrédients et servir froid.

L'AUTEUR

....

*B*ach-Tuyet, Blanche-Neige, est née au Viêt-nam, dans une famille de praticiens en médecine traditionnelle indochinoise. Elle a poursuivi des études en médecine occidentale au Viêt-nam.

Au ministère de la Santé du Viêt-nam, elle a travaillé en épidémiologie en collaboration avec l'Organisation mondiale de la santé (OMS) et l'USOM. À l'Université de Montréal, elle a poursuivi des études en santé publique sur les statistiques sanitaires internationales. Par ses recherches, elle a constaté des liens entre les habitudes alimentaires et l'incidence de certaines maladies dans divers pays.

Depuis 30 ans, elle applique le fruit de ses observations par une saine alimentation et conseille les gens sur le maintien d'une bonne santé. Ses connaissances en médecine orientale lui ont permis d'étayer ses recherches sur les effets d'une saine nutrition sur l'état physique général et les maladies.

Établie à Montréal depuis maintenant 32 ans, Blanche-Neige continue ses recherches et fait connaître les effets bénéfiques d'une saine alimentation sur le corps et l'esprit.

LECTURES SUGGÉRÉES

Airola, P., *How to get well*, Health Plus Publishers, Oregon, 1996.

Beijing Medical College, *Dictionary of Traditional Chinese Medicine,* The Commercial Press, Ltd, Hong Kong, 1988.

Gormley, James J., *DHA, A Good Fat Essential for Live*, Kensington Book Corporation, New York, 1999.

Lederer, J., *Encyclopédie moderne de l'hygiène alimentaire. Tome I : Exigences alimentaires de l'homme normal. Tome II : Hygiène des aliments,* Éditions Nauwelaerts, Louvain, 1977.

Lederer, J., *Manuel de diététique,* Éditions Nauwelaerts, Louvain, 1976.

L'encyclopédie visuelle des aliments, Éditions Québec-Amérique inc., 1996.

Ody, P., *Les plantes médicinales*. Encyclopédie pratique, Sélection du Reader's Digest, Montréal, 1993.

Achevé d'imprimer sur les presses de
Quebecor World L'Éclaireur
Beauceville

IMPRIMÉ AU CANADA